Peter Handke, 1942 in Griffen (Kärnten) geboren, lebt heute in Österreich. 1973 wurde er mit dem Georg-Büchner-Preis ausgezeichnet. Prosa: *Die Hornissen; Der Hausierer; Begrüßung des Aufsichtsrats; Die Angst des Tormanns beim Elfmeter; Chronik der laufenden Ereignisse* (Filmbuch); *Der kurze Brief zum langen Abschied; Wunschloses Unglück; Falsche Bewegung* (Filmbuch); *Die Stunde der wahren Empfindung; Die linkshändige Frau; Das Gewicht der Welt; Langsame Heimkehr; Die Lehre der Sainte-Victoire.* Stücke: *Publikumsbeschimpfung und andere Sprechstücke; Kaspar; Das Mündel will Vormund sein; Quodlibet; Wind und Meer* (Hörspiele); *Der Ritt über den Bodensee; Die Unvernünftigen sterben aus.* Gedichte: *Die Innenwelt der Außenwelt der Innenwelt.* Reader: *Prosa, Gedichte, Theaterstücke, Hörspiel, Aufsätze; Ich bin ein Bewohner des Elfenbeinturms* (Aufsätze); *Als das Wünschen noch geholfen hat; Das Ende des Flanierens* (Aufsätze).

»Ist der Vorsitzende durch widrige Umstände verhindert, so hat der Schriftführer das Urteil zu verkünden; es lautet auf den Tod.« Dieser Satz aus Handkes *Standrecht* ist ein Musterfall seiner Erzählmethode, mit deren Hilfe er die gesellschaftlichen Herrschaftsmechanismen ihrer Unmenschlichkeit überführt: Alltagssätze und rhetorische Formeln werden zerlegt und als Verfahrensnormen der Unterdrückung entlarvt. So wie sich in dem oben angeführten Satz Gewehrkolben und Stiefeltritte hinter legalistischer Fassade verbergen können, so tritt auch hinter der *Begrüßung des Aufsichtsrats,* den *Prüfungsfragen* oder dem *Augenzeugenbericht* ein brutales Geschehen hervor.

Handke beschreibt in diesen Prosatexten, wie der Schrecken von Ausbeutung, Zerstörung, Totschlag und Mord – verbal in Einzelteile zerlegt – verschleiert werden kann. Damit gibt er den Schlüssel zu unserer Gesellschaft, in der die Ideologie der technischen »Sachzwänge« den Blick auf gigantisches Unrecht beständig verstellt.

Der 1971 in dieser Zusammenstellung zuerst erschienene Band wird hier um die Geschichte *Das Umfallen der Kegel von einer bäuerlichen Kegelbahn* erweitert vorgelegt.

Peter Handke
Begrüßung des Aufsichtsrats

Suhrkamp

Umschlagfoto: Isolde Ohlbaum

suhrkamp taschenbuch 654
Erste Auflage 1981
© 1967 by Peter Handke
© *Das Umfallen der Kegel von einer bäuerlichen Kegelbahn*
1969 Residenz Verlag, Salzburg
Alle Rechte vorbehalten durch Suhrkamp Verlag,
Frankfurt am Main, insbesondere das
des öffentlichen Vortrags, der Übertragung
durch Rundfunk und Fernsehen
sowie der Übersetzung, auch einzelner Teile.
Suhrkamp Taschenbuch Verlag
Satz: Philipp Hümmer, Waldbüttelbrunn
Druck: Ebner Ulm · Printed in Germany
Umschlag nach Entwürfen von
Willy Fleckhaus und Rolf Staudt

Inhalt

Begrüßung des Aufsichtsrats

Meine Herren, es ist sehr kalt hier. Ich weiß nicht, wie ich diesen Umstand erklären soll. Vor einer Stunde habe ich aus der Stadt angerufen, um zu fragen, ob alles für die Sitzung bereit sei; jedoch es meldete sich niemand. Ich fuhr schnell her und suchte den Portier; ich traf ihn weder in seiner Loge noch unten im Keller beim Ofen noch in der Halle. In diesem Raum fand ich endlich seine Frau; sie saß in der Finsternis auf einem Schemel neben der Tür; den Kopf hatte sie zwischen die Knie gepreßt, mit den Händen hielt sie hinten den Nacken umklammert. Ich fragte sie, was geschehen sei. Ohne sich zu bewegen, sagte sie, ihr Mann sei weggegangen; ein Auto habe beim Rodeln eins ihrer Kinder überfahren. Das ist der Grund, daß die Räume nicht geheizt worden sind; ich bitte Sie dafür um Nachsicht; was ich zu sagen habe, wird nicht lange dauern. Vielleicht ist es besser, wenn Sie mit den Stühlen ein wenig heranrücken, damit ich nicht zu schreien brauche; ich möchte keine politische Ansprache halten, sondern Ihnen einen Bericht geben über die finanzielle Lage der Gesellschaft. Es tut mir leid, daß die Scheiben der Fenster durch den Sturm zerbrochen sind; obwohl ich in der Zeit, bevor Sie kamen, mit der Frau des Portiers diese Plastiksäcke vor die Öffnungen gespannt habe, damit der Schnee nicht hereinwehte, ist es mir dennoch, wie Sie sehen, nicht gänzlich gelungen, es zu verhindern. Lassen Sie sich jedoch durch das Knistern nicht davon abhalten, mir zuzuhören, wenn ich Ihnen das Ergebnis der Prüfung der Bilanz vortrage; es ist nämlich kein Grund zur Besorgnis; ich kann Ihnen versichern, daß die Geschäftsführung des Vorstands rechtlich nicht anfechtbar ist. (Kommen Sie bitte noch etwas näher, wenn Sie mich nicht verstehen.) Ich bedaure, daß ich Sie unter solchen Verhältnissen hier begrüßen muß; das wäre wohl nicht so gekommen, wäre nicht das Kind mit dem Schlitten gerade vor das Auto gefahren; die Frau, während sie einen Plastiksack mit einem Faden vor das Fenster band, erzählte mir, ihr Mann habe auf einmal unten im Keller, in den er gerade die Kohlen verräumte, aufgeschrien; sie selber war hier im Raum und stellte die Stühle für die Sitzung auf; plötzlich hörte sie ihren Mann unten brüllen; sie stand, wie sie erzählte, lange Zeit auf dem Ort, an dem der Schrei sie getroffen hatte; sie lauschte. Dann erschien ihr Mann in der Tür, der Kübel mit der Kohle hing ihm noch in der Hand; er sagte leise, während er zur Seite blickte, was sich ereignet hatte; das zweite Kind habe die Nachricht gebracht. Da also der abwesende Portier die Liste mit Ihren Namen hat, möchte ich Sie alle begrüßen, so wie ich Sie sehe, und wie Sie gekommen sind. Ich habe gesagt: wie ich Sie sehe, und wie Sie gekommen sind. (Das ist der Wind.) Ich danke Ihnen, daß Sie sich in dieser Kälte durch diesen Schnee zur Sitzung auf den Weg gemacht haben; es war ja ein weiter Weg herauf. Vielleicht haben Sie geglaubt, Sie würden in einen Raum treten, in dem das Eis schon von den Fenstern geschmolzen wäre, und Sie könnten sich um den Ofen scharen und wärmen; jetzt aber sitzen Sie noch in den Mänteln am Tisch, und es ist noch nicht einmal der Schnee geschmolzen, der sich von Ihren Sohlen gelöst hat, als Sie vom Eingang her zu den Stühlen gingen; es steht auch kein Ofen im Raum; wir sehen nur ein schwarzes Loch in der Wand, wo früher das Blechrohr war, als dieser Raum und dieses öde Haus noch bewohnt wurden. Ich danke Ihnen, daß Sie gleichwohl gekommen sind; ich

8

danke Ihnen und begrüße Sie. Ich begrüße Sie. Ich begrüße Sie! Zuerst begrüße ich herzlich den Herrn, der dort beim Eingang sitzt, wo früher in der Finsternis die Frau des Bauern gesessen ist; ich begrüße den Herrn und danke ihm. Als er vor einigen Tagen den eingeschriebenen Brief erhielt, der diese Sitzung bekanntgab, auf der die Rechnungslegung des Vorstands geprüft werden sollte, hielt er das vielleicht für unnötig, zumal es kalt war und seit langem der Schnee fiel; jedoch. dann verfiel er auf den Gedanken, es sei etwas nicht in Ordnung mit der Gesellschaft: es knistere verdächtig in ihrem Gebälk. Ich sagte, er glaubte vielleicht, es knistere im Gebälk. Nein, es knistert nicht im Gebälk der Gesellschaft. (Entschuldigen Sie, was für ein Sturm.) Er begab sich also auf die Reise und fuhr durch diesen Schnee in dieser Kälte aus der Stadt hierher zu der Sitzung; unten im Dorf mußte er seinen Wagen abstellen; es führt nur ein schmaler Pfad zu dem Hause herauf. Er saß dann im Wirtshaus und las in der Zeitung die Wirtschaftsberichte, bis die Zeit kam, zu der Sitzung aufzubrechen. Unterwegs im Wald traf er einen zweiten Herrn, der ebenfalls schon zur Sitzung marschierte: dieser stand an ein Wegkreuz gelehnt und hielt mit der einen Hand seinen Hut fest, mit der andern umklammerte er einen gefrorenen Apfel; auf Stirn und Haaren lag der Schnee. Ich sagte: der Schnee häufte sich auf den Haaren, er aß von einem gefrorenen Apfel. Als der erste Herr ihn erreicht hatte, begrüßten die beiden einander, und der zweite griff in die Tasche des Mantels und reichte auch dem ersten einen gefrorenen Apfel; dabei stieg ihm infolge des Sturms der Hut vom Kopf, und die beiden lachten. Die beiden lachten. (Rücken Sie bitte noch etwas näher, sonst können Sie gar nichts verstehen. Es knistert zudem im Gebälk. Es knistert nicht im Gebälk der Gesellschaft; Sie alle werden die Anteile bekommen, die Ihnen für das Geschäftsjahr zustehen; das wollte ich Ihnen heute in dieser außerordentlichen Sitzung mitteilen.) Während die zwei nun gemeinsam durch den Schnee gegen den Sturm vorwärts gingen, war unten im Dorf bereits die Limousine mit den anderen Herren angekommen. In den schwarzen, sich schwerfällig buchtenden Mänteln standen sie im Windschutz des Autos und berieten, ob sie zu dem verfallenen Bauernhaus steigen sollten. Ich habe gesagt: Bauernhaus. Obwohl sie gewiß gegen den Weg ihre Bedenken hatten, überredete schließlich einer die Furcht der andern mit der Sorge um die Lage der Gesellschaft; und nachdem sie im Wirtshaus die Wirtschaftsberichte gelesen hatten, brachen sie auf und gingen, indem sie die Knie anzogen, hierher zu der Sitzung; es leitete sie die ehrliche Sorge um die Gesellschaft. Zuerst traten ihre Füße kräftig Löcher in den Schnee; dann begannen sie müder dahinzuschleifen, so daß allmählich ein Weg entstand. Einmal hielten sie an und schauten, wie Sie sich erinnern, zurück in das Tal: aus dem schwarzen Himmel flogen die Flocken über sie hin; sie sahen Spuren vor sich, von denen die eine hinunter führte und kaum noch zu deuten war: da war der Bauer gelaufen, als er von dem Unfall seines Kindes gehört hatte; oft war er wohl gefallen, mit dem Gesicht voran, ohne sich mit den Händen zu schützen; oft war er tief verbohrt in dem Schnee gelegen, in der Kälte; oft hatte er sich mit den zitternden Fingern eingegraben; oft hatte er mit der Zunge die bitteren Flocken geleckt, wenn er gefallen war; oft hatte er gebrüllt unter dem stürmischen Himmel. Ich wiederhole: Oft hatte der Bauer gebrüllt unter dem stürmischen Himmel! Sie erblickten auch Spuren, die heraufführten zu dem verfallenen Bauernhaus, die Spu-

10

ren der zwei Herren, die, während sie sich über die Lage der Gesellschaft unterhielten und über die Erhöhung des Kapitals durch die Ausgabe neuer Aktien, die grünen glasigen Bissen schluckten und durch den Sturm hinanwanderten. Schließlich kamen Sie alle, da war es schon Nacht, hierher zu dem Haus und traten durch den offenen Eingang herein; die beiden ersten saßen schon da und hielten wie jetzt die Notizblöcke auf den Knien und den Bleistift zwischen den Fingern; *Sie* warteten, daß *ich* mit meiner Begrüßung begänne, damit *Sie* mitschreiben könnten. Ich begrüße Sie also allesamt und danke Ihnen, daß Sie gekommen sind: ich begrüße die Herren, die die gefrorenen Äpfel essen, während Sie meine Worte aufschreiben, ich begrüße die andern vier Herren, die mit ihrer Limousine den Sohn des Bauern überfahren haben, als Sie auf der verschneiten Straße zum Dorf her rasten: den Sohn des Bauern, den Sohn des Portiers. (Jetzt knistert es im Gebälk; es knistert im Gebälk des Daches, das ist der schwere Schnee; es knistert nicht im Gebälk der Gesellschaft. Die Bilanz ist aktiv; es sind bei der Geschäftsführung keine Umtriebe vorgekommen. Es biegen sich nur die Balken durch den Plafond, es knistert im Gebälk.) Danken möchte ich noch dem Bauern für alles, was er für diese Sitzung getan hat: an den vorangegangenen Tagen stieg er unten von seinem Gehöft mit einer Leiter hier zu dem Haus herauf, um den Raum zu streichen; die Leiter trug er auf der Schulter, mit dem gewinkelten Arm hielt er sie fest, in der Linken trug er den Kübel mit Kalk, in dem das gebrochene Ende eines Besens steckte. Mit diesem weißte er sodann die Wand, nachdem seine Kinder das Holz, das bis zu den Fenstern gestapelt lag, auf ihren Schlitten zum Hof geführt hatten. Den Kübel in der einen, die Leiter in der andern Hand, stapfte der Bauer herauf und bereitete emsig den Raum für die Sitzung; schreiend liefen vor ihm die Kinder mit den Schlitten und bahnten ihm einen Weg; ihre Schals flatterten im Wind. Jetzt noch sehen wir die weißen Ringe auf dem Boden, die einander überschneiden: dort stellte der Bauer den Kübel ab, sooft er von der Leiter stieg, um die nächste Stelle zu streichen; die schwarzen Ringe beim Eingang, wo jetzt der staubige Schnee in den Raum fährt, sind durch die Töpfe mit der feuergekochten Suppe entstanden, die die Bäurin den andern zur Essenszeit brachte: es saßen dann die drei auf dem Boden, oder sie hockten auch auf den Fersen und tauchten schlemmend die Löffel ein; indessen stand die Bäurin am Eingang, die Arme locker über der Weste, und sang das Volkslied vom Schnee; dazu schlürften die Kinder im Takt und wiegten eifrig die Köpfe. (Ich bitte Sie jedoch, nicht unruhig zu werden: es ist kein Anlaß zur Besorgnis um die Gesellschaft; was Sie so knistern hören, ist das Gebälk des Daches, ist der schwere Schnee auf dem Dach, der das Gebälk so knistern macht.) Ich danke also dem Bauern für alles, was er getan hat; ich würde ihn begrüßen, wenn er nicht unten im Dorf bei dem überfahrenen Kinde wäre, ich würde auch die Bäurin begrüßen und ich würde ihr danken, und ich würde auch die Kinder begrüßen und ihnen herzlich für all das danken, was sie für diese Sitzung getan haben. Ich danke überhaupt Ihnen allen und begrüße Sie. Ich bitte Sie jedoch, auf den Plätzen zu bleiben, damit durch die Schritte das Dach nicht erschüttert wird. Was für ein Sturm! Ich habe gesagt: Was für ein Sturm. Bleiben Sie ruhig auf den Plätzen. Ich danke Ihnen allen für Ihr Kommen und begrüße Sie. Es kracht nur im Gebälk. Ich habe gesagt, es kracht im Gebälk; ich habe gesagt, Sie sollten ruhig auf den Plätzen bleiben, damit das Gebäude nicht einstürzt. Ich habe gesagt, daß ich gesagt habe, Sie sollten ruhig auf den Plätzen bleiben. Ich habe gesagt, daß ich gesagt habe, daß ich gesagt habe, Sie sollten auf den Plätzen bleiben! Ich begrüße Sie! Ich habe gesagt, daß ich gesagt habe, ich begrüße Sie. Ich begrüße Sie alle, die Sie um Ihre Dividenden kommen! Ich begrüße Sie alle! Ich begrüße Sie. Ich

(1964)

Der Hausierer

Die Kleider eines Hausierers sind gewöhnlich braun; manchmal sind sie auch grau; die Hose ist zu weit und flattert ihm um die Beine, wenn er geht. An den Knien ist sie meist zerrissen; hinten seltener, weil die Zuschauer abgelenkt würden, sooft er ihnen den Rücken kehrt. Ein Hausierer bewegt sich, indem er den oberen Teil seines Körpers schief nach hinten geneigt hält; nur den Kopf läßt er zur Seite auf den Hals hängen und schaut auf diese Weise einen Augenblick an sich herunter, bevor sein Gesicht unruhig wird und er zu sprechen beginnt, während dabei seine Hand den Rucksack langsam von den Schultern streift. Es kann sein, daß er mit einem Kind spricht; denn der Ausdruck seiner Augen, der eben noch unbestimmbar war, wird als ein Lächeln gedeutet. Während er nun den Rucksack entschnürt, spricht er weiter, den Kopf mit den borstig abstehenden Haaren, die ihm auch aus den Ohren wachsen, nicht hinab auf die Hände gerichtet, sondern geradeaus; da er aber jetzt hockt, das eine Knie schon auf der Erde, spricht er wohl zu einem Kind, das ihm beim Sprechen zuschaut. Er holt eine Schokolade hervor und gibt sie also dem Kind, das die Hülle abstreift und mit dem Fingernagel das Silberpapier zerschneidet. Dann bricht es einen Teil von der Schokolade und reicht ihn dem Hausierer; weil dieser sich soeben erhebt, folgt ihm die Hand des Kindes nach; der Hausierer neigt sich zu dem Kind und nimmt die Schokolade entgegen; oder er nimmt die Schokolade nicht, sondern ergreift, während er seinen Teil ausschlägt, den Arm des Kindes und dreht ihn rasch um, so daß das Kind aufschreit und in das Gras fällt. Die Zuschauer erschrecken zwar in ihrem dunklen Raum und umklammern die Lehnen der vorderen Reihen; jedoch ihr Schrecken bezieht sich auf etwas, das fern von ihnen und zu einer andern Zeit schon geschehen ist; das Bild von dem Geschehen ist jetzt erst zu ihnen gekommen wie das Licht von einem fremden Stern. Sie sind zum Zuschaun verurteilt. Sie können nichts mehr dagegen tun.

Die Kleider dieses Hausierers sind weder braun noch grau. In dem Raum, in dem er auf das Stichwort wartet, ist das Licht so matt, daß die Farben nicht mehr zu unterscheiden sind. Er steht gegen die Wand gelehnt und raucht; seine Haltung ist noch nicht die eines Hausierers. Es ist dunkel, weil kein Licht auf die Bühne schimmern soll; dort ist es nämlich Nacht. Während der Hausierer dasteht und raucht, lauscht er auf das Gespräch des Generals mit seiner Geliebten, deren Name Bella ist. Der General ist vor seinen Feinden in eine Hütte ans Meer geflohen. Bevor nun der Hausierer im Auftrag der neuen Regierung kommt, um den General zu töten, spricht dieser über eine Stunde lang mit dem Mann, der als einziger an seiner Seite geblieben ist. Er trinkt Wein, zerbricht eine Flasche und läßt sich dazu aus einem alten Buch den Tod eines berühmten Staatsmannes der Römer vorlesen, der von einem Hauptmann namens Herrenius erschlagen worden ist, als ihn die Sklaven auf der Flucht in einer Sänfte zum Meer hinuntertrugen. Er steckte den Kopf aus der Sänfte, die linke Hand, wie der Geschichtsschreiber sagt, nach seiner Gewohnheit am Kinn, und starrte unverwandt die Mörder an. Er war über und über mit Staub bedeckt, das Haar wirr durcheinander, das Gesicht verzerrt, so daß die meisten sich verhüllten, als ihm der Hauptmann den Kopf abschlug, der noch heute auf manchen Schulausgaben zu sehen ist. Der General aber, der weiß, daß ein Mann unterwegs ist, mit dem Auftrag, ihn zu ermorden, beabsichtigt, sich angemessener zu verhalten. Er ist darin allerdings durch eine schwere Verletzung behindert, die ihm auf der Flucht zugefügt worden ist. Am Anfang des Stückes, als sein Begleiter noch bei ihm war, verhielt er sich desungeachtet, wie es einem Mann von seinem Stande entsprechen mag: er sprach ruhig und gesammelt über den Tod, trank sogar auf ihn und tröstete den Mann, der bei ihm war, obwohl dieser einen Trost gar nicht nötig hatte. Er gebrauchte einige Wendungen über die Politik; dann schaute er wieder lange Zeit seine Hand an, die ihm seltsam vorkam; er erzählte dem Mann, der Antonio hieß, von den Frauen, deren er sich im Lauf seines Lebens bemächtigt hatte, und verwendete auch hier einige bekannte Vergleiche; auf die Welt und deren Einrichtung kam er später zu sprechen, nachdem der Mann Antonio die Bootslichter erblickt hatte, die sich vom Meer fast unmerklich dem Strande näherten; er hörte erst zu reden auf, als das Mädchen Bella kam und die Nachricht von dem Hausierer brachte, der, wie ein Gerücht ging, schon über das Festland durch die finstere Nacht heranschlich. Weil die neue Regierung aus triftigen Gründen es nicht wagte, den General offen hinrichten zu lassen, wählte sie aus denen, die wegen der Ungeheuerlichkeit ihrer Verbrechen in der sogenannten Todeszelle saßen, den geeigneten aus und gab ihn frei, unter der Bedingung, daß er jetzt in der Nacht, als Hausierer verkleidet, ans Meer gehe, um den General, auf welche Weise auch immer, zu töten. Als dieser davon erfährt, schickt er seinen Gefährten fort; das heißt, er hat ihn schon fortgeschickt, als der Hausierer im Vorraum der Bühne steht und der letzten Spur des Rauches nachschaut. Der General spricht nun zu seiner Geliebten, wie man zu Geliebten in schwachen Stunden spricht. Er erzählt ihr von einem Sohn, den er besessen hat; den er als Betrunkener gezeugt hat, und der immerfort in seinem Leben die Angst hatte, bis er starb; als Kind, wenn im Herbst der Sturm kam, war er oft in den Wäldern verschwunden und lief darin umher: davon erzählte der General, während der Hausierer, nein, der Mann, der sich für den Hausierer ausgeben sollte, durch die Nacht schon herankam. Dann erzählt er noch von einem Traum, den er in der Nacht zuvor geträumt habe: er war in eine Ruine gekommen, in der die Ratten schrien; die Ratten hingen an Schnüren an der Wand und schrien; sie hatten indes die Köpfe von Menschen. Der General trat näher und roch verbranntes Fleisch; er legte die Hände auf den Rücken und betrachtete aufmerksam die Hängenden, indem er den Kopf hin und her neigte: er besuchte eine Ausstellung. Das ist das Stichwort. Plötzlich schlägt jemand heftig gegen die Tür. Der General schickt das Mädchen Bella durch den geheimen Ausgang, der in diesen Stücken immer benötigt wird, obwohl sie, wie erwartet, bis zuletzt bei ihm bleiben will. Jetzt ist er allein. Er schleppt sich gleichsam zur Tür und schiebt den Riegel zur Seite. Als der Hausierer eintritt, ist als Untermalung die Brandung zu hören. Noch während die Tür offen steht, fängt der Hausierer zu sprechen an, in der freundlichen Art seines Berufes: Er sei ihm nahen Dorf gewesen und habe versucht, dort an die Leute Schuhbänder zu verkaufen; aber das Geschäft sei ihm fehlgeschlagen, das Volk in dieser Gegend trage nämlich nur Holzpantoffeln oder es laufe überhaupt barfuß. So sei er am Abend wieder auf die Landstraße gegangen, um ein Auto aufzuhalten, das ihn zurück in die Stadt bringen könnte. Es war jedoch seltsam, daß die ganze Zeit, als er dahinging, er weder die Lichter eines Fahrzeugs sah noch einen Motor hörte; er dachte sogleich, es sei vielleicht ein Ausnahmezustand eingetreten; infolge der großen Stille verwarf er aber diesen Gedanken. Neben jedem zweiten Randstein blieb er stehen und lauschte; die Nacht war kalt und dunkel; es fiel der Tau. Er überlegte, ob er einen Heuschober suchen sollte, oder eine Scheune irgendwo auf dem freien Feld. Er war es gewohnt, im Heu zu schlafen. Oft des Nachts war er dagelegen und hatte mit der Taschenlampe die Ziegel über sich beleuchtet, weil er nicht einschlafen konnte; er hatte den Staub betrachtet, der durch den Lichtstrahl wehte »wie Schnee in der Ferne«; er hatte die Stäubchen des Staubs betrachtet, die nie auf die Erde kamen; er war dagelegen mit nach hinten geneigtem Kopf und hatte auf das Rauschen in seinen Ohren gelauscht, bis ihm der Arm mit der Taschenlampe steif wurde, oder bis er einschlief. Als er sich schon in den Graben neben der Straße legen wollte, erblickte er plötzlich ein Licht. Zuerst war er unsicher: er meinte, es wollte ihn jemand zum Narren halten, etwa ein Geist mit einem Irrlicht; der Hausierer glaubte an Geister. Aber als er sich näherte und das Meer hörte, fing er mitsamt seinem Rucksack zu laufen an und rannte vor Freude, ohne einzuhalten, bis hierher zu der Hütte. Während er dies harmlos erzählte, blickte er immerzu um sich und verdrehte voll Argwohn den Kopf nach allen möglichen Seiten. Er fragte den General, der ihm gegenüber in einem Lehnstuhl hockte, ob er in Gesellschaft sei. Der General verneinte. Nach der Verneinung des Generals mußte ein ziemlich langes Schweigen folgen. Vor Anstrengung, seine Gedanken auf der Umgebung festzuhalten, in der er sich befand, brach dem Schauspieler unter den Achseln der Schweiß aus; er fühlte, wie sein Gehirn zu dröhnen begann; einmal knackte es darin, als sei etwas zerbrochen. Endlich fragte der General, ob er, der Hausierer, dafür begnadigt werde. Begnadigt? fragte der Hausierer. Er holte Atem, blickte noch einmal um sich und lachte. Da er sich sicher fühlte, belustigte er sich nun über den General, der ihn hereingelassen habe, wiewohl er wisse, was ihm bevorstehe. Es folgt die Szene, in der der General den Hausierer auffordert, ihm zu zeigen, was er zu verkaufen habe. Der Hausierer holt darauf Schnüre hervor, die für Schuhe zu lang sind; er nimmt ein weißes Pulver aus seinem Rucksack; zuletzt stellt er einen Dolch zur Wahl: dieser sei für den andern wohl stilgerecht. Nachdem er die Dinge auf den Tisch gebreitet hat, kommen die beiden noch in ein Gespräch. Eigentlich ist es kein Gespräch; denn es spricht nur der Hausierer, und zwar von den Menschen, die er getötet hat. Zuvor fragt ihn der General nach seinem Namen: er heißt Geronimo Benavente. Einmal tötete er ein Kind. Es rief laut nach den Leuten, die es kannte, und er würgte es, bis es still war. Aber wenn es über ihn kam, war er anfangs ganz traurig. Er lag im Bett und hörte mit einem Mal einen Vogel vorbeifliegen, und die Flügel des Vogels rauschten. Er stand sogleich auf und schaute hinaus auf den Himmel: es war indes nichts zu sehen; der Vogel schrie nur immerzu, und seine Flügel rauschten. Da stürzte er vor den Spiegel und würgte sich selber am Hals, bis ihm schwarz wurde vor den Augen. Doch dann ließ er ab; er konnte ja nichts mehr sehen; was er wünschte, war die »Qual und das Quellen der Augen« sehen zu können. So lief er denn hinaus, um einen zu finden, den er würgen könnte, ohne daß ihm dabei schwarz würde vor den Augen.

Während dieses Ausbruches hatte der Hausierer aufzustehen und sich allmählich dem Fenster zu nähern. Zuletzt sollte sich seine Stimme zu einem besinnungslosen Schreien steigern, bevor er vom Fenster zurück über die ganze sehr große Bühne zu dem General hin ging, um ihn zu erwürgen; die Schreie, mit denen er voll Wut auf den in den Lehnstuhl gekauerten Mann einfiel, sollten zugleich das Ende des Stückes sein; denn der General war während der Erzählung des Hausierers an seiner Verwundung gestorben. Nun hatte der Schauspieler aber bereits zu sprechen aufgehört, kaum daß er den Ort an dem Fenster verlassen hatte; es blieb ihm nur noch, über die Bühne zu stürzen, den anderen an den Schultern zu rütteln und in sich steigerndem Ton dreimal das Wort General zu schreien. Mitten auf der Bühne jedoch, als er gerade auf den drehbaren Teil gelangt war, blieb er stehen und blickte auf die leere Strecke vor sich und weiter auf die Tür, durch die er gekommen war. Dort bin ich vorhin gewesen, dachte er verwirrt. Dann riß es ihn weiter zu dem General hin, und er sprach seinen Part zuende.

(1963)

Die Hornissen

Plötzlich fängt eine Frau zu sprechen an.

Natürlich schläft er, er schläft da drin im Zimmer hinter der Tür. Er hat wohl geträumt; die Decke lag nämlich auf dem Boden, als ich vorhin zu ihm kam. Weil es so finster war, dachte ich zuerst, er sei aus dem Bett gefallen, und ich erschrak. Aber dann hörte ich, daß er sich auf der bloßen Matratze bewegte. Ich fragte ihn, ob er etwas brauche; doch er sagte nichts. Obwohl er die Augen zu hatte, sah er einmal wütend aus und dann wieder müde; er ist ja krank. Deshalb dürft ihr dann auch nicht in das Zimmer, wenn ich hinausgehe; bleibt hier sitzen, ich werde das Licht höher schrauben. Aber bevor ich gehe, werde ich noch erzählen, wie damals sein Vater zu uns gekommen ist; da war ich selber noch klein. Es war der Krieg damals, der große; es war Krieg, und der Vater von dem da drin war nach Hause gekommen und wollte nicht mehr zurück. Niemand von uns jedoch kannte den Mann, der da plötzlich in unser Haus kam und sagte: Die Hornissen kommen; denn er war nicht aus dieser Gegend. Erst viel später haben wir erfahren, daß die Gendarmen hinter ihm her waren, um ihn abzuschießen; doch das sah keiner ihm an, wie er dann näher trat und sagte, er wolle Kälber kaufen, und wie er lachte, als euer Großvater den Preis nannte. Der Großvater könne leicht das Doppelte verlangen für die Tiere, rief er, die Preise seien durch die Notzeit ja gestiegen; er selber werde heute nichts kaufen, er habe sich nur einmal erkundigen wollen. Da schaute der Großvater, indem er die Lippen verbiß, mit einem ganz schrecklichen Blick zu mir her: Hol sofort das Fleich und das Brot aus der Kammer,

sagte er, damit der Herr was zu essen kriegt. Später kam er
dann auch noch manchmal und speiste und trank, was der
Großvater ihm vorsetzen ließ, bis wirklich einer aus dem
Tal die Tiere kaufen wollte und den Preis hörte. Und jetzt
muß ich gehn. Wenn der Vater mit dem Arzt kommt, sagt
ihm, wo ich bin. Sie sollen gleich zu ihm hinein.

Ich bin aufgewacht. Aufgewacht bin ich, bevor du hereinkamst und leise aufschriest. Aber ich bin nicht erwacht
aus dem Schlaf oder aus einer andern Bewußtlosigkeit,
ich bin erwacht aus meinem Bewußtsein, aus meinem
Bewußtsein bin ich erwacht, das sich da quälte auf dem
Bett mit dem Körper, der da eingesperrt war. Dann jedoch fiel der Körper heraus, als du die Decke auf ihn legtest und als du dich über mich beugtest und meinen Kopf
in die Hände nahmst. Ich hatte die Augen geschlossen
und nahm wahr, wie mein Körper aus dem Bewußtsein
fiel, wie er in jenes gelbe Wasser fiel, in jenen dunklen
Schnee; ich erwachte aus meinem Bewußtsein und
konnte alles hören, was um mich vorging, und auch das,
was nicht vorging. Dein Name ist . . . dein Name war . . .
ich habe deinen Namen vergessen. Aber ich bin an vielen
Tagen von der Hütte meines Vaters heruntergekommen.
Jetzt liege ich hier in dem Hause auf dem Bett und bin ge-
lähmt von den Krämpfen; ich hätte acht geben sollen auf
die Wunde, die ich mir zugefügt habe, zum Beispiel beim
Holzmachen?

Es war der Krieg damit er nicht aufwacht der
große.

Es war dann nicht mehr Krieg, als mein Vater mit mir hier
heraufzog. Wir bauten die Hütte aus, in der er geschlafen

hatte, als er woanders nicht schlafen durfte. Wir hatten eine Petroleumlampe, die brannte immer wie in einem heftigen Wind. Darunter saß er abends und schrieb Rechnungen. Er sagte, es seien Rechnungen. Oft sprang er plötzlich mit eingezogenem Kopf auf mich zu. Er hob mich auf und stemmte mich gegen die Holzbalken der Decke. Tut es dir weh? flüsterte er. Ich hätte mir immer sehr tapfer vorkommen können, weil ich den Schmerz ertrug, den er mir beibrachte; es war aber ganz anders: Während ich über ihm in das Holz gepreßt lag, dachte ich immerzu daran, wie er eben noch an der Schreibmaschine gekauert hatte, ganz klein anzusehen, und wie ich ihm zugeschaut hatte vom anderen Ende des Tisches. Ich sagte also, ja, es tut mir weh, und schrie die üblichen Schmerzenslaute, bis er mich lachend wieder herunterließ.

Glaubst du, hört er was, wenn ich die Tür aufmache?
Nein. Er schläft ja. Die Mutter hat gesagt, er schläft. Durch das Schlüsselloch kann ich nichts sehen, es ist so finster drin.
Warum ist der eigentlich in unserem Zimmer?
Weil er krank ist.
Aber warum liegt er dann nicht in seiner Hütte?
Er ist in der Früh allein heruntergekrochen. Die Mutter hat ihn gefunden. Er hat ausgeschaut, wie wenn er laut lachen wollte. Aber er hat nicht gelacht; und reden hat er auch nicht mehr können.
Ich möchte ihn anschaun.

Später hatte mein Vater dann das Mädchen, das er quälen konnte, das er mitgebracht hatte eines Abends, als er vom Tal kam; aber da war es schon kein Mädchen mehr, das durch das Zimmer, das durch das Schlüsselloch in das finstere Zimmer blickte, in dem ich liege, in das du vorhin getreten bist, in das du eintrittst mit einer Lampe, die schwankt in deiner Hand, weil du zitterst, als du mich siehst. Du stellst die Lampe auf den Boden und hebst die Decke auf. Du denkst: Er ist aus dem Bett gefallen. Du nimmst mich und legst mich auf das Bett zurück, du hast einen scharfen Geruch, du riechst nach Brot, du hast nach Brot gerochen, als du hereinkamst und meinen Kopf in die Hände nahmst, zwischen die Hände. Ich konnte riechen. Mein Vater roch scharf, als er das Mädchen quälte? Warte: Ich liege hier in einem fremden Haus auf einem fremden Bett? Ich bin gekommen, weil ich mich in den Finger geschnitten hatte? Ich liege in einem dunklen Raum auf dem Bett und warte auf den Arzt? Jetzt geht die Tür auf; sie knarrt nicht, aber ich höre sie aufgehen. Sie kommen herein: schwarz sind ihre Gesichter in der Tür, durch die das Licht fällt. Ich kann das Licht hören. Jetzt verstummt das Licht: zuerst wird es leise, dann verstummt es. Nie aber sind die Rufe des Mädchens verstummt, das sich mit einem Brotmesser draußen im Wald die Pulsadern zerschnitt, oberhalb unserer Hütte. Sie war wieder zurückgefallen in ihr Bewußtsein, als sie das Blut spürte, das aus ihr herauskam und wichtigtuerisch über die Brombeeren tropfte, zwischen denen sie saß. Ich stelle mir vor, daß sie einfach wegging, nachdem mein Vater sie gequält hatte, wie man im Schlaf geht . . .

Deine Hände riechen nach Brot.

Sie nahm das Brotmesser, das zu groß war für ihre Hände, und schnitt und schnitzelte ganz tief in die Ader und schaute vielleicht noch eine Zeit zu, unter die Brombeeren gekauert, die gerade reif waren auf dem Berg; anstatt sich in die Hand zu schneiden, hätte sie freilich auch dahocken können und Brombeeren essen; oder sie hätte des Bildes halber ein anderes Messer nehmen können, ein kleineres. Aber es gab keine Zuschauer. Eine Zeitlang muß in ihr wohl noch jenes Bild gewesen sein, weil sie sich nicht bewegte, während ihre Augen auf die Hand schauten: wie mein Vater am Morgen ankam und sie aus dem Bett warf, so daß sie gegen die Wand fiel und die Lampe zerbrach; und wie mein Vater zu ihr sagte: Liebling, komm her, mit einer ganz schrecklichen Stimme: Hol das Fleisch und das Brot aus der Kammer. Nein: Liebling, komm her, sagte er. Bring mir warmes Wasser. Ich will mich ausziehn und waschen. Sie ging also und stellte ihm in der Küche das Wasser auf, während er sich auszog. Was schaust du denn, sagte er zu mir. Stell dich lieber in die Ecke und sing dein Morgengebet. Ich stellte mich in die Ecke, murrte mit abgewandtem Gesicht meinen Fluch in das Holz und in die Spinnweben und sang mein Morgengebet. Währenddessen hörte ich, daß sie mit der Schüssel hereinkam und in der Tür stehenblieb. Du blutest, sagte sie. Nein, sagte er. Ich blute nicht. Ich *bin* blutig. Sie sagte nichts; ich starrte zu einer Spinne hin: sie hatte acht Beine, bevor ich ihr zwei ausriß; ich sang mein Morgengebet. Wasch mich, sagte mein Vater. Ich riß der Spinne das sechste Bein aus; dann das fünfte und das vierte auf einmal. Darauf hörte ich, wie sie ihn mit dem warmen Wasser und einem Tuch zu waschen anfing; sie bückte sich und sie richtete sich auf und sie wusch seinen ganzen Körper, während ich der Spinne die letzten Beine ausriß. Ich könnte jetzt sagen: ich erinnere mich noch an die Faserung des Balkens, den ich anschaute, oder sonst an etwas, das man mit den Augen wahrnehmen kann, aber ich erinnere mich an nichts als an das Geräusch des Wassers, wenn sie das Tuch ausdrückte. So hätte sie am Abend auch ihre Hand ausdrücken können, als sie unter den Brombeeren lag; doch es wäre wohl nichts mehr herausgekommen. Zuvor allerdings kam uns ihr Geschrei entgegen, als wir von unten der Hütte zugingen: ich kam vom Tal aus der Schule, mein Vater kam von irgendwo; unterwegs hatten wir uns getroffen. Wer schreit da im Wald? sagte ich. Ein Eichelhäher, sagte mein Vater, oder ein Auerhahn, oder ein Tiger. Das ist aber ein Geschrei, sagte ich bewundernd. Ja, so schreien die, sagte mein Vater. Hör, wie sie schreien. Du muß wissen, wie ein Tiger schreit, oder ein Auerhahn, wenn du groß bist. Jetzt bin ich groß und weiß noch immer nicht, wie ein Tiger schreit; aber wie jemand schreit, der in den Brombeeren steckt und schon zu schwach ist herauszukommen, das weiß ich inzwischen. Spät am Abend, als wir sie zum Teich hin suchen gingen, da kamen die Hornissen. Es war mitten im Herbst oder mitten im Winter. Mein Vater blieb stehen und bog das Schilf zur Seite und spähte über das Wasser: Die Hornissen sind gekommen, sagte er, gehn wir zurück. Er drehte sich um, und ich ging hinter ihm her, seinen Geruch in der Nase; mein Vater hatte einen scharfen Geruch. Ich ging hinter ihm her, er ging immer schneller auf den Wald zu, die Hornissen kamen, die Hornissen sind gekommen, die Hornissen haben geschrien im Wald, sagte er. Es fing sehr dicht zu schneien an, weiß und gelb, es dröhnte, es roch sauer nach Hornissen, die herniederschneiten, während wir zum Wald gingen, in dem sie unter den Brombeeren lag, und die Ruhe bewahrte. Komm schneller, sagte mein Vater und machte Spuren in die Hornissen, die da lagen, mit seinen groben Schuhen machte er tiefe Spuren in den

Schnee und in den Wind und in die Dunkelheit, und die
Luft surrte und jammerte, und er machte tiefe Spuren,
tiefe Spuren machte er, während ich hinter ihm herging
mit bloßen Füßen über die Hornissen, die sich regten und
schmolzen

Schläft er
Nein er ist wach seine Augen sind offen
Sag ihm er soll schlafen
Schlaf du
Warum sagt er nichts
Warum sagst du nichts
Faß seine Hand an ob der Puls noch
Ich spüre nichts
Vielleicht ist er

die sich regten und schmolzen die Hornissen die tiefen
Spuren die er machte mit den tiefen Schuhen bis wir zu
ihr kamen in dem Gebüsch die tiefen Spuren die er macht
durch die wir gehen während wir schauen während wir
jammern während ich in die Fußstapfen meines Vaters
trete

(1963)

Der Ausbruch des Krieges

1

Zuvor lagen die Hände dieser Frau ruhig im Schoß; die linke Hand hielt die drei mittleren Finger der rechten umklammert; der kleine Finger der rechten Hand, der ein wenig von den anderen Fingern wegragte, lag auf dem untersten Knopf des Mantels. Die Knöchel beider Hände traten kaum aus der schlaffen Haut; die Finger, die von der andern Hand umklammert wurden, ragten mit den Spitzen hervor; sie waren von der gleichen fahlen Farbe wie die Finger der Hand, die sie umklammerte; die kurzen Nägel glänzten in dem Licht, das vom Bahnsteig hereinfiel. Langsam senkten und hoben sich die Hände auf dem staubigen schwarzen Mantel unter dem schräg auf die Schulter gefallenen Gesicht. Gerade noch schlief diese Frau hinter den fest geschlossenen Lidern.

Die Hände des Mannes neben ihr schnitten Stücke von einem Brot, das zur anderen Seite des Mannes auf der Bank lag; das Papier war auf das dunkle Holz gebreitet und knisterte, wenn der Mann, indes er sich schnaufend darüber beugte, das Brot und die Wurst in kleine Stücke zerschnitt. Er legte die Stücke der Wurst auf die Stücke des Brots, drehte das Messer, sodaß die Klinge nun unten erschien, und spießte damit voll Sorgfalt die Wurst zugleich mit dem Brot auf das Messer, bevor seine Hände, deren Adern hell waren im Licht des Bahnsteigs, das Stück zum Munde führten, der gerade den letzten Bissen gekaut hatte und sich nun öffnete, kaum daß der Hals wieder frei geworden war nach dem letzten Schlucken. Er legte den Kopf gegen die Lehne zurück und schob schief mit dem Taschenmesser von oben herab das Brot mit der Wurst so tief in den Mund, daß er mit dem Perlmuttergriff und dem Nagel des Zeigefingers die obere Lippe berührte. Dann schloß sich der Mund rasch über der Klinge; die Hand des Mannes riß das Messer mit einem dumpfen Geräusch aus dem Gaumen zurück und wischte es an die Enden des Papiers, das durch die andere Hand schon gestrafft wurde. Das Gesicht des Mannes war dabei jedoch nicht auf das Papier gerichtet, sondern auf den Eingang, oder auf die Wand zu beiden Seiten des Eingangs, wo in ihren staubigen Mänteln, die Knie geknickt vor Müdigkeit, andere Reisende standen und auf den Bahnsteig hinaus schauten.

Die Frau zur rechten Seite dieses Mannes las in einem Roman, dessen Titel nicht zu erkennen war, weil die Frau das Heft umgeschlagen hatte; auch die Worte des Romans waren nicht zu erkennen; denn das Blatt, das noch von der Frau abgekehrt war, und das die Frau als nächstes lesen würde, war in seiner oberen Hälfte braun von der Sonne; unten jedoch, wo das Papier wieder weiß war, verzweigten sich in einem grauen Wollhandschuh die Finger der Frau und bedeckten die Schrift; die andere Hand, die auf der Bank neben dem Mahl des Mannes lag, trug keinen Handschuh: mit den mittleren Fingern dieser Hand fuhr die Frau über die Zunge, bevor sie die gelesene Seite des Romans umwendete. Die Nägel waren voll von tiefen schwarzen Rissen, sodaß sie glanzlos blieben in dem Licht, das vom Bahnsteig fiel. Das Gesicht dieser Frau hinter dem Roman war noch nicht zu sehen.

Die Hände der Frau neben der Lesenden lagen wie die der ersten im Schoß; die Finger beider Hände waren eng ineinander geschoben und ausgestreckt; obenauf lag der linke Daumen, unter diesem im Schatten der rechte; der

linke Zeigefinger lag auf dem Knöchel des rechten Zeigefingers, der mit seiner Spitze in der Mulde zwischen den
Knöcheln des Zeigefingers und des mittleren Fingers der
linken Hand lag; der mittlere Finger der linken Hand
wiederum hatte in die entgegengesetzte Richtung gewiesen; er war jedoch nicht in die Mulde zwischen den Knöcheln der anderen Hand gebettet, sondern ragte von dem
Knöchel des mittleren Fingers der rechten Hand ein wenig empor; dieser Finger war dicker als die andern und,
da er erfroren war, von einer dunklen Röte, so daß vor allem der Ringfinger und der kleine Finger der linken
Hand, die sich eng aneinander preßten, in der Dämmerung des Raumes sehr weiß erschienen; die übrigen Finger der rechten Hand waren nicht zu sehen. Diese Frau
schlief nicht, noch schnitt sie das Brot, noch las sie einen
Roman: sie blickte nur lauschend herüber. Als der Schatten des ersten Zuges hereinfiel und den Raum verdunkel-
te, begannen plötzlich ihre Augen unter dem staubigen
Kopftuch zu schimmern.

2

Jetzt aber hält die linke Hand der ersten Frau nur noch
den Zeigefinger und den mittleren Finger der rechten
Hand umklammert; die Knöchel beider Hände ragen als
weiße Spitzen aus der gespannten Haut; rund um die
Knöchel ist die Haut der Hände dunkel geworden wie die
Spitzen der Finger der rechten Hand und deren Nägel,
die nur noch glänzen, sooft ein Zug den Bahnsteig verläßt; sonst aber liegen Hände und Gesicht der Frau bereits im Schatten. Die Lider, die sie zuerst geöffnet hat,
nachdem sie aus ihrem langen Schlafe erwacht ist, sind

wieder geschlossen; die Wimpern zittern indes nicht. Ein neuer Zug pfeift vor der Einfahrt.

Die Hände des Mannes schneiden die Wurst und das Brot, das zur anderen Seite des Mannes auf der Bank liegt; laut knistert das Papier, wenn der Mann, indes er sich schnaufend darüber beugt, das Brot und die Wurst in große Stücke zerschneidet. Er schiebt die Stücke der Wurst und die Stücke des Brotes gegeneinander, sodaß er sie mit dem Zeigefinger und dem mittleren Finger der rechten Hand umfassen kann, preßt die Wurst und das Brot aneinander und führt sie schnell in den Mund. Dann sitzt er da, den Kopf weit zurück an die Lehne gelegt, und hält die zwei Finger im Mund und kaut daran zugleich mit dem Brot und der Wurst. Nun wird sein müdes Gesicht wieder beschattet von dem Waggon des nächsten Zuges, der gerade auf dem Gleis eingefahren ist. Auf einem anderen Gleis fährt ein anderer Zug in die Station. Der Mann schiebt sich den Hut in den Nacken; sein Hals ruckt vor und zurück. Der Mann legt sich den Hut zurecht und tastet mit den Fingern über die Krempe; dann nimmt er den Hut ab und bürstet ihn seitlich mit gestreckten Fingern; er setzt ihn wiederum auf. Sein Hals ruckt vor und zurück. Die Augen des Mannes treten ein wenig hervor. Jetzt hat er endlich den Bissen geschluckt. Wiederum fährt ein Zug ein und verfinstert das Gesicht des Mannes.

Die Frau zur rechten Seite des Mannes liest das Blatt, das in seinem oberen Teil braun ist von der Sonne; jedoch hat sie jetzt das Heft auf die Knie gelegt. Sie schaut von oben, ohne die Lippen zu bewegen, still auf den Roman hinunter. Die Hand, mit der sie früher die Seiten gewendet hat, berührt jetzt ihre sichtbare rechte Wange; sie kann jedoch die tiefe Narbe, die von der Schläfe her bis an den Nasenflügel stößt, nicht gänzlich verbergen. Die

Finger in dem Handschuh streichen über den Koffer zu ihren Füßen, auf den das Kind, das daneben auf der Tasche sitzt, mit dem Finger eine Lokomotive gezeichnet hat; als sie die Hand wieder hebt, berührt sie zuerst den Roman auf den Knien, als ob sie ihn aufheben wollte; dann aber wischt sie sich in die Augen und legt diese Hand zu der andern über die Narbe; unter den Lidern ist in einem grauen Streifen der Staub von dem Koffer zu sehen. Das Kind schlägt die Beine auseinander, steht von der Reisetasche auf und fragt sie etwas. Sie antwortet nicht. Das Kind wiederholt in dem gleichen Tonfall die Frage. Nun, indes sie sich zu dem Kind beugt, antwortet sie. Das Kind schaut sie an. Sie wiederholt die Antwort. Ihre Stimme ist laut; es fahren auf vielen Gleisen die Züge ein. Das Kind bleibt stehen.

Die Hände der Frau neben der Lesenden liegen im Schoß; die Finger beider Hände liegen ineinander geschoben und ausgestreckt; obenauf liegt jetzt der rechte Daumen, unter diesem im Schatten der linke. Der rechte Zeigefinger liegt auf dem Knöchel des linken Zeigefingers, der mit seiner Spitze in der Mulde zwischen den Knöcheln des Zeigefingers und des mittleren Fingers der rechten Hand liegt; der mittlere Finger der rechten Hand wiederum weist in die entgegengesetzte Richtung; nun, da die rechte Hand über der linken Hand liegt (vordem lag die linke über der rechten), ist zu erkennen, daß ihre beiden letzten Finger fehlen. Es ist nun so dunkel durch die Züge auf den Gleisen, von denen keiner mehr den Bahnsteig verläßt, daß die Helligkeit der Adern auf dem Handrücken nur noch zu ahnen ist in ihren schwarzen Schatten auf der dämmrigen Haut. Alle Leute fangen mit einmal zu sprechen an; auch die Frau beugt sich zu mir herüber und redet. *Jeder versteht nur sein eigenes Wort.*

Sobald dann die Reisenden, die an der Mauer neben der Schwingtür stehen, aus der Halle das wachsende Trappeln der Schritte hören, lüften sie das Gepäck und weichen von der Tür zu den Heizkörpern hin. Die Flügel der Tür fliegen auf und prallen hart an die Mauer; jeder der Flügel bremst, indem er zurückschwappt, durch sein Schwappen das Flattern des anderen Flügels, so daß sie sich beide allmählich dem ruhigen Punkt wieder nähern; jedoch ehe die Flügel der Tür in Ruhe sind, treten die nächsten, die kommen, sie wiederum auf, und der Türknauf knallt an die Mauer; wieder andere, die kommen, hemmen den Rückschwung der Flügel, indem sie ihr staubgeflecktes Gepäck vor sich strecken und mit den Koffern und Taschen die Flügel zurück an die Mauer stoßen; bevor sich aber die Flügel auf ihrem Rückschwung an die einwärts drängenden Schultern reiben, rammen schon weitere, die hintennach durch die Öffnung drängen, die Tür an die Mauer zurück. Wieder andere, die von der Gruppe der vorderen nur noch durch wenige Schritte getrennt sind, prellen darauf den Knauf der widerstrebenden Tür, kaum daß diese sich loslöst, mit einem kurzen Klopfen von neuem zurück an die Mauer. Die nächsten, die kommen, sind der vorderen Gruppe schon so auf den Fersen, daß einer vom andern nicht mehr zu trennen ist. Zuletzt werden die letzten, indem sie sich stauen, mit den staubigen Köpfen den Eingang anfüllen und im Stehen die offenen Flügel der Tür, ohne daß diese sich regt, an die Kalkmauer pressen. Der runde Griff der Tür wird weiß sein vom Kalk der Mauer. Die Tür wird offen bleiben.

(1964)

Das Feuer

Wenn du noch drin wärst im Zelt, würdest du jetzt die Nummer acht sehen; plötzlich würde der Vorhang der Tribüne, auf der das Orchester zu spielen beginnt, auseinandergerissen, es würde dahinter schwarz für deine Augen sein, die groß geworden sind, hinter dem Vorhang würde ein Sturm in den Zirkus brausen, rot wie der Vorhang, rot wie die Lampions über dir, wenn du hinaufschaust in die Kuppel, – rot wie das Feuer? –, rot wie das Feuer. Jetzt fangen alle Leute zu klatschen an, ein paar Kinder springen von ihren Bänken auf und schreien, dein Bruder neben dir verliert den Atem vor Jubel; indessen sitzt du da und läßt den roten Sturm in deinen Mund, läßt ihn in deinen Kopf, wo er anschwillt und brennt, läßt ihn in deine Haare, in deinen Hals, in deinen Bauch. Er reißt dich empor, während das Mädchen mit der Nummer acht um die Manege geht, während die Leute im Takt klatschen, und du stehst neben deinem Bruder, und deine Hände schlagen einander, und du schreist. Wenn das Mädchen das Bein vorsetzt, tritt das Schulterblatt auf der Seite ihres Beins aus ihrem entblößten Körper heraus und wirft einen Schatten auf die Haut, der kommt und geht in der Bewegung ihrer anmutigen Schritte. Der Sturm aber in der Höhle hinter dem Vorhang ist still geworden; etwas Helles treibt dort heran. Sobald deine Augen kleiner geworden sind, wirst du sehen, daß es eine Frau in einem golden schimmernden Trikot ist, die aus der Finsternis hervorkommt und im Kreise den Leuten zulächelt. Jetzt wird der Vorhang zugezogen; die Kinder lassen sich wieder auf die Bänke fallen; auch du könntest dich wieder setzen, wenn du noch drin wärst; du könntest hören, wie der schwarz gekleidete Mann am Mikrofon die Zuschauer zur Ruhe für den gefährlichen Trapezakt mahnt, den Scheinwerfer könntest du sehen, der den Körper der Frau an dem Seil funkeln läßt, während er ihr in die Kuppel hinauf nachfolgt, du würdest deinen Bruder schlucken hören vor Aufregung. Das wäre die Nummer acht.

Mach es mir vor, sagte ich also. Mach mir die Nummer acht. Und er sagte: Wir haben kein Seil da in dem Wagen, wir beide, wir haben kein Seil da. Und ich sagte: Da hängt ein Faden von der Lampe, der Faden von der Spinne, der ist das Seil. Und als ich aufstand von dem Schemel und klatschte und lachte, stieg er in dem Wagen, in dem er wohnte, an dem Faden bis zur Lampe empor. Und ich sagte: Spring herunter, lieber Herr, spring herunter und brich dein Genick. Und er sprang herunter, und er sprang herunter und brach sich nicht das Genick. Und er sagte: Es folgt nun die Nummer zwölf.

Wenn du noch drin wärst im Zelt, würdest du jetzt die Nummer zwölf sehen; aber weil du nicht drin bist im Zelt, sondern in meinem Wagen, können wir beide eine Zeitlang nur das Raunen hören, das auf den Beifall gefolgt ist. Oder hörst du vielleicht auch, wie in dem letzten Wagen draußen auf dem Platz, an dem ich dich nach der Pause vorbeigeführt habe, die Motoren laufen, die das Licht für den Zirkus erzeugen? Ein Spaßmacher kommt in die Manege; es ist ein anderer als ich: ich werfe nur die großen Bälle unter die Leute, damit ihnen die Zeit nicht lang wird, während die Arbeiter den Käfig abbauen; du hast dich geduckt, als dir der Ball auf den Kopf fiel. Aber hast du mich dann erkannt, als ich im Fell eines Eisbären rund um die Manege kroch und die Tafel mit der Nummer vier in den Tatzen hielt? Ich habe dich gesehen: du warst zu erkennen, weil du nicht auf mich schautest, während ich um die Manege kroch, sondern auf den Vorhang, hinter dem schon der Jongleur wartete. Als ich auf meinem Weg so weit war, daß auch ich auf den Vorhang blicken konnte, merkte ich, daß die Falten sich bereits bewegten. Das war der Augenblick, da ich das Seil vor mir übersah und in die Manege fiel. Niemand hat gelacht.

Jetzt lachen sie drüben im Zelt.

Hörst du sie? Er kommt herein in einem langen schwarzen Gewand; er geht sehr langsam und feierlich; vielleicht schaut er hinauf, wo du früher gewesen bist; er geht durch die Wüste. Tief sinkt er in den Sand, wenn er einen Fuß vor den andern setzt; seine Finger halten sich an den Manschetten fest, die aus den schwarzen Ärmeln leuchten. Als er ungefähr im Mittelpunkt der Manege angelangt ist, hält er inne, zieht schnell von hinten aus seiner Hose eine lange Schaufel hervor, deren Stiel seinen Rücken so steif gemacht hat, und bricht, als hätte er sich selbst die Wirbelsäule herausgenommen, sofort zusammen. Nachdem das Lachen verstummt ist, richtet er sich wieder auf und beginnt mit der Schaufel in den Sägespänen zu graben. Jetzt gräbt er; du kannst nichts hören als die Motoren im letzten Wagen und meine Stimme. Und jetzt: jetzt bricht dort wieder das Lachen los; Wasser ist nämlich in einem dicken Strahl aus dem Sand geschossen und hat den Clown, der darübergebeugt war, auf den Rücken geworfen. In dem Augenblick könnte es geschehen, daß in dem ganzen Zirkus das Licht ausfällt; die Motoren, die das Licht erzeugen, wären nicht mehr zu hören; die Hammondorgel würde verstummen; nur das Saxophon würde noch ein paar Sekunden spielen, bevor das

Schweigen eintritt. Auch wir beide sitzen da und sehen nichts voneinander; wir hören nur zu, wie dort in dem Zelt der Vorhang knattert in dem Sturm, der plötzlich hereinfährt. Die Kinder beginnen zu schreien; die Erwachsenen schweigen noch. Bleiben Sie auf Ihren Plätzen, sagt der Mann in die Richtung, in der er das Mikrofon vermutet. Aber seine Stimme wird nur von dem Clown gehört, der auf die Schaufel gelehnt dasteht, während das Wasser von seinem Gesicht tropft. Plötzlich schreit eine Stimme – meine Stimme? –, deine Stimme: Feuer!

Und ich sagte: Nein, lieber Herr. Das Licht hier im Wagen, es brennt; es brennt das Licht hier im Wagen. Und wie er lag auf dem Bett, da lachte der Herr. Und er sagte: Das war nur die Nummer zwölf. Und dann sprang er empor, und er faßte mich und drehte mich um und schrie einen Namen; und er schrie meinen Namen und drehte mich und drehte mich im Kreis, daß ich schwindlig wurde; und drehte mich im Kreis, bis ich schwindlig wurde und bis er mich aufhielt und ansah; und sah mich an, bis ich mich im Kreis drehte und schwindlig wurde; und sah mich an, bis ich ihn ansah.

Die nächste Nummer, die ich erzählen würde, wäre keine Nummer; es wäre die Pause, in der die Leute durch den Lautsprecher aufgefordert werden, die Tierschau zu besichtigen. Weil meine Arbeit schon vor der Pause getan ist, gehe ich meist zu meinem Wagen und liege hier eine Zeit auf dem Bett, oder ich flicke die Sachen zusammen, die bei der letzten Vorstellung zerrissen sind; ich bin nämlich auch Schneider hier beim Zirkus. Da sehe ich dich im Dunkel unter den ansteigenden Bankreihen hokken, an einer Stelle, wo das Zeltdach sich durch die Spannung ein wenig gehoben hatte. Zuerst sehe ich dich, ohne dich zu bemerken; ich ging vorbei. Dann aber drehte ich um sofort und kehrte dorthin zurück, wo ich dich gesehen hatte. Ich bückte mich zu der Öffnung im Zelt und schaute dich an; du hieltest die Hände übereinander im Schoß und hocktest auf den Fersen; du bemerktest mich nicht. Ich ließ mich fallen und kroch schnell unter das Zelttuch. Du bemerktest mich erst, als ich das Streichholz ausblies, das du gegen die Zeltplane hieltest. Bevor die Flamme erlosch, konnte ich darüber dein Gesicht sehen, und ich ließ das Streichholz noch brennen, während du dich vornüber beugtest, auf die Plane zu. Dann legtest du den Kopf auf den Arm, sodaß der Handrücken gerade unter dem Kinn lag, und nähertest, während du den Kopf langsam wieder anhobst, das Streichholz der Plane; auf deinen Wangen zitterten die Schatten der Wimpern; sie erloschen, als ich die Flamme ausblies. Zugleich faßte ich dich an den Armen; doch du bewegtest dich kaum; nicht einmal deinen Atem konnte ich spüren, als ich dich aufhob, um wieder in dein Gesicht zu schauen: darin war jener Ausdruck, der mich sagen ließ: Schrei nicht. Nein. Nicht schreien. Komm mit, sagte ich. Du nicktest. Wir warteten, bis die Pause zu Ende war, indem wir dalagen und die Beine der Vorbeigehenden anschauten. Der Platz draußen wurde leer; über uns auf den Bänken begann das Raunen, welches das ganze Zelt erfüllte; es folgte die Nummer sieben.

Und ich sagte: Bleib, wo du bist, lieber Herr, ich habe gerade etwas gedacht. Zehn Jahre war ich älter als ich war und zehn Jahre war ich jünger als ich bin. Bleib, wo du bist, lieber Herr, ich habe gerade etwas gedacht. Ich habe gedacht, bei dir zu sein, das ist schön, bei dir zu sein, das wäre schön. Und ich wäre älter gewesen, und ich wäre sehr alt gewesen, und du hättest mich gedreht, und ich wäre jünger gewesen als ich bin. Und ich wäre gewesen, wo ich niemals war; wo ich niemals mehr war.

Laß mich von dir sprechen, als wärst du gar nicht da; sagen wir, ich sei hingegangen mit dir zu dem Mann, der deinen Namen schon zweimal in das Mikrofon gesprochen hat. Deine Eltern stehen bei ihm. Als deine Mutter dich an meiner Hand erblickt, stürzt sie auf dich zu und umarmt dich. Nein. Sie bleibt bei deinem Vater stehen und schaut uns an: Wo bist du gewesen? Nein. Sie schreit auf und wird ohnmächtig; dein Vater fängt sie auf und läßt sie zu Boden gleiten. Ich werde dann zurückgehen zu meinem Wagen. Ich werde allein auf dem hohen Bett liegen und sagen: Heute abend habe ich ein Kind gesehen, das den Zirkus anzünden wollte, mit einem Streichholz; ich habe ein Kind gesehen, das Feuer legen wollte, weil es sich vor dem Feuer gefürchtet hat. Ich habe jemanden gesehen, der etwas abwenden wollte, dadurch, daß er es herbeiholen wollte.

Und ich sagte: Aber wenn du auf deinem Bett liegst, lieber Herr, liege nicht ruhig; liege nicht da mit den Händen im Nacken, die Beine eins übers andre; liege nicht da mit einer Zigarette im Mund; liege nicht da und denke nicht nach. Wenn du auf deinem Bett liegst, wirf dich herum auf den Bauch und grab einen Gang in das Bett mit den Fingern. Und wenn du deinen Gang gräbst in das Bett, wirst du dorthin kommen, wo du den roten Sturm brausen hörst; und wenn du den Sturm brausen hörst, wirst du die Augen öffnen und schauen; und du wirst um dich schauen und einen anderen Schlafenden rufen, und der andere wird er-

wachen und fragen: Was ist? Und wenn du mit ihm reden willst von dem Sturm, und wenn du reden willst von den Flammen, und wenn du ihn ansprichst, da wird er sagen: Was ist, lieber Herr; schlaf, lieber Herr. Und wenn du fortfährst zu graben, wirst du an einen Ort kommen, im Schein bunter Lampions, wirst du zu einem Zirkus kommen, in dem die Peitschen knallen, in dem die Pferde über den Sand rasen, in dem die Leute sich über die Bänke wälzen und schreien vor Schmerzen. Dann wirst du das seltsam finden, und du wirst schauen und schauen; doch die Flammen, die wirst du nirgends sehen, die wirst du nirgendwo sehen. Und das erst wäre die letzte Nummer.

(1963)

Die Überschwemmung

Ein Mann steht im Fluß, sagte ich. Er steht mitten im Geröll und hält den Kopf gesenkt; die Arme hängen an ihm herunter. Wahrscheinlich ist er von dem Ufer, an dem wir sitzen, in das Flußbett gestiegen und über die Steine langsam zum Wasser hin gegangen; weil wir so weit weg von ihm sind, scheint er unmittelbar vor den Wellen zu stehen: mit einem Schritt würde er bis zu den Knien im Wasser sein, mit dem nächsten würde der Fluß ihn mit sich reißen. Er steht aber gewiß nicht so nahe daran, sondern einige Meter entfernt; eigentlich müßte er mich also hören.

Er hört dich nicht, sagte mein Bruder. Ruf ihn.

Nein, sagte ich.

Schaut er etwas an? fragte er.

Ich weiß nicht, sagte ich. Ich sehe ihn nur von hinten. Sein Gesicht ist von der Seite so hell von der Sonne, daß ich nichts erkenne. Vielleicht sind seine Augen geschlossen. Er ist über die Steine gegangen und steht dort und schläft im Flußbett.

Du lügst, sagte mein Bruder. Es steht gar kein Mann im Fluß.

Es ist Herbst, sagte ich. Da steigen die Steine aus den Flüssen. Gießkannen und Äste liegen darauf; nur in der Mitte fließt das Wasser. Nimm mich an der Hand und hilf mir hinunter, sagte mein Bruder. Kannst du nicht ohne Hilfe gehen? fragte ich. Hast du dir ein Bein gebrochen?

Wenn du nicht willst, gehe ich allein weiter, sagte mein Bruder. Ich werde den Mann fragen, was er anschaut.

Du wirst ihn aber nicht finden, sagte ich. Du wirst in die

falsche Richtung gehen und in die Pfützen und in den Schlamm geraten; dort wirst du einsinken und nicht mehr herauskommen. Gib mir die Hand.

Hört er uns noch immer nicht? fragte er. Wir gehen über die Steine wie auf einem Straßenpflaster.

Er hört uns nicht, sagte ich. Er verschränkt gerade die Arme über der Brust und schiebt die Hände unter den Rock, um sich zu wärmen.

Ist jetzt die Sonne untergegangen? fragte mein Bruder.

Die Sonne? fragte ich.

Mir ist auf einmal ganz kalt geworden, sagte er.

Du bist in den Schatten gekommen, sagte ich.

In den Schatten der Bäume vom andern Ufer? fragte er.

In den Schatten des Mannes, sagte ich. Dein Gesicht ist im Schatten des Mannes.

Was tut der Mann? fragte er.

Er schaut auf einen Stein, sagte ich.

Er dreht sich nicht nach uns um? fragte er.

Er starrt immerzu auf den Stein, sagte ich.

Was ist es für ein Stein, fragte mein Bruder.

Er ist rund, und liegt mit seinem unteren Teil in einer Lache, zu der vom Fluß her eine schmale Rinne führt. Das Wasser um den Stein ist ruhig und klar wie vor dem Gefrieren. Ich kann auf dem Grund den Glimmer sehen.

Und ist kein Tier darin? fragte er. Kein Krebs und kein Wurm?

Eine Mücke ist darin, sagte ich.

Und sie bewegt sich nicht? fragte er.

Sie schwimmt im Kreis, sagte ich.

Ist sie tot? fragte er.

Ja, sagte ich.

Wenn sie tot ist, dann muß das Wasser sich bewegen, sagte er.

Es steigt, sagte ich. Es kommt die Flut.

Das ist ein Fluß, sagte mein Bruder, und nicht das Meer.

Es ist das Meer, sagte ich, es ist der Ozean.

Es ist der Fluß, sagte er, und wir sind allein. Es ist kein Mann da.

Ja, sagte ich. Wir sind allein. Wir sind von dem Ufer, an dem wir saßen, in das Flußbett gestiegen und stehen vor einem Stein mitten im Geröll. Der obere Teil des Steines ist noch frei von Wasser; in den Rillen liegt getrockneter Schlamm; sonst ist nichts auf ihm zu sehen.

Vielleicht eine Ameise, sagte mein Bruder.

Zwei Ameisen, sagte ich. Sie haben sich auf den Felsen gerettet und kriechen darauf umher; vom Flugzeug aus sind sie zu sehen *wie* Ameisen. Sie winken zu uns herauf und schreien. Wenn wir Taschentücher hätten, könnten wir zurückwinken.

Sind es Kinder? fragte mein Bruder.

Ja, sagte ich. Sie liegen nun auf dem Felsen und krallen sich in den Stein. Dann steht ein Kind auf und schaut über das Wasser. Ob es noch immer steigt? sagte es zum andern. Ich kann nichts sehen. Ich friere.

Ich friere auch, sagte mein Bruder. Der Wind ist kälter geworden.

Zieh meinen Pullover an, sagte ich.

Warum schaust du auf den Stein? fragte er. Gehn wir nach Hause.

Nein! sagte ich.

Was ist? fragte er. Warum schreist du?

Das Wasser, sagte ich.

Sprich lauter, sagte er. In dem Lärm der Motoren kann ich gar nichts verstehen.

Das Wasser hat sich vorgeschoben und die beiden auf eine kleine Fläche zurückgedrängt, sagte ich. Das eine

Kind zerrte das andere hinter sich her. Das Wasser jedoch steht schon wieder; es ist an ihm selbst keine Bewegung zu erkennen. Ein Dach schaukelt darin auf und ab; es ist aus Stroh. Das Wetterkreuz am First dreht sich heftig, während das Dach schaukelt. Der Wind dort unten muß stürmisch sein; wo das Stroh weggerissen ist, flattern zwischen den Sparren die Kleider, die aus den Kästen und Truhen geschwemmt worden sind.

Schreien die Kinder? fragte mein Bruder.

Ja, sagte ich. Sie schreien. Vor lauter Schreien sind ihre Augen geschlossen. Aus der Nase des einen Kindes rinnt das Blut. Dieses Kind hat nur noch den rechten Schuh; die schlammbedeckte Spitze weist ebenfalls zu uns herauf; die Füße des anderen Kindes sind nackt; die Zehen reiben sich aneinander.

Und das Wasser? fragte mein Bruder.

Es steht noch immer rund um die beiden, sagte ich. Sie kauern in die Mitte des trockenen Kreises. Plötzlich starren sie auf das Wetterkreuz. Wahrscheinlich können sie es knarren hören, während es sich dreht; wir hier oben hören nichts davon. Jetzt bricht das Wasser an einer Stelle in den Kreis und benetzt den Schuhabsatz des einen Kindes. Sofort verstummen die beiden und drängen gegeneinander, sodaß sie kaum mehr zu trennen sind. In dem Augenblick –

Nein, sagte mein Bruder.

In dem Augenblick, sagte ich, treibt aus der Finsternis ein totes Schwein heran und fährt langsam an den Kindern vorbei. Ohne daß ihnen die Bewegung ihrer Arme bewußt wird, streichen sie mit dem Handrücken zur gleichen Zeit über die Augen und schauen auf das Schwein; der Bauch des Schweins schimmert schaukelnd aus dem Wasser. Ein Schwein, sagt das eine zum andern voller

44

Staunen. Ein Schwein, sagt das andre und wischt sich
staunend das Blut von den Lippen. Und während sie da-
sitzen und über das Schwein reden, entsteht ganz weit am
Horizont in der Tiefe des Wassers ein Beben, das sich
durch die Dörfer und Wälder fortsetzt und die Bäume
knickt, ohne daß wir es sehen . . .

Gehn wir zurück, sagte mein Bruder. Gehn wir zurück!

Und auf einmal, sagte ich, und auf einmal, auf einmal,
auf einmal hebt sich das Wasser, auf einmal hebt sich das
Wasser, hebt sich das Wasser, auf einmal hebt sich das
Wasser und, das Wasser hebt sich und und und und und
und undundund

Nein! sagte mein Bruder.

Und   jetzt, sagte ich.

(1963)

Halbschlafgeschichten

(Entwurf zu einem Bildungsroman)

Er schlug die Augen zu.

Sein erster Gedanke galt schon dem zweiten, der sich nicht einstellen wollte. So kam es ihn hart an, die Fäuste zu öffnen. Er suchte einen Gegenstand, den er kurz und klein schlagen könnte. Auch der Spalt zwischen dem reglosen Vorhang ließ ihn einstweilen nicht zur Ruhe kommen; von klein auf nämlich, sooft er schlief, hatte er geglaubt zu träumen. Jedoch im Innersten witterte er, daß etwas faul sei an der Geschichte. Nichtsdestoweniger ging er beim ersten Hahnenschrei auf und davon.

Die Sache ließ sich gut an. Mit der Zeit schuf er sich als Messerstecher in der Stadt einen Namen. Vor allem anderen gefielen ihm die Drähte der Straßenbahn. Da er zudem aussah wie einer, der nicht bis drei zählen konnte, vermochte niemand ihm seine Blicke krumm zu nehmen. Jedesmal, wenn er die Fahrbahn überquerte, fielen wildfremde Menschen einander um den Hals. Sein Glaube an die Menschheit wuchs. Gleichwohl wurden ihm seine Taten nicht Selbstzweck. Oft und oft hatte er sich vorgenommen, die Wahrheit über sich selbst zu erzählen.

So kam es ihm nicht unerwartet, daß ein Narr, der stundenlang an der Hausecke lehnte, die Lippen spitzen und pfeifen konnte.

Dieses Erlebnis vermehrte sein Selbstbewußtsein. Es konnte nicht ausbleiben, daß er eigensüchtig wurde, was wieder zur Folge hatte, daß niemand ihm seine Geschichte abnehmen wollte. Letzthin ging er so weit, sich erbötig zu machen, mit einem Briefträger sein Brot zu teilen; ja vor einem Krüppel schlug er sogar, nachdem die beiden einander mit den Blicken ausgewichen waren, die Augen zu Boden. Es dämmerte ihm, daß eine Welt zwischen ihnen lag.

Nicht allein aus dieser Erwägung ging es bergab mit ihm. Vor Unruhe trat er sich die Absätze schief. Zwar gefiel es ihm noch immer, wie früher von oben nach unten über Stufen zu gehen, jedoch allmählich bekam er es mit der Angst zu tun.

Meist aber verflogen noch diese schweren Gedanken. Nicht zu Unrecht behaupteten böse Zungen, daß sein Messer locker säße. Es war sein Fehler, daß er solchen Anwürfen keinen Glauben schenkte. Er lebte vielmehr sorglos in den Tag hinein. Statt seine Gedanken in die Tat umzusetzen, hielt er es umgekehrt. Aus den Büchern, die er verschlang, gewann er die Erfahrung, daß die Vergeblichkeit nach faulen Fischen rieche; deswegen suchte er oft ein bewußtes Kino auf und versuchte sich im Vorraum an den Spielautomaten. Dadurch wurde er immerhin weltgewandt.

In den Gesichtern der Leute, die ihn passierten, las er, daß sie vor ihm auf der Hut waren. Allerdings war ihm Liebe ein Fremdwort. So konnte es nicht ausbleiben, daß man einen weiten Bogen um ihn machte.

Ungeachtet dessen hatte er bessere Tage gesehen. Wenn es darauf ankam, konnte er mit der flachen Hand die Zeit totschlagen. Mit der toten Zeit freilich, die dann vor ihm lag, wußte er nichts anzufangen.

Er lebte in einer Zone vorherrschender Westwinde. Als er einmal den Blick hob, erblickte er am Firmament ein Gebilde gleich einem Himmelskörper. Er lehnte sich an eine Mauer und rastete. Wind kam auf. Er senkte den Kopf; sein Herz flog. Der Wind legte sich.

Seine Angehörigen schalten ihn einen Tagedieb, weil er

sich die Nächte um die Ohren schlug. Desgleichen war er auch der Behörde kein unbeschriebenes Blatt mehr. Wie sich später zeigen sollte, waren die Befürchtungen der Erzieher, er werde es im Leben einmal schwer haben, nicht aus der Luft gegriffen. Der Blick eines betagten Weibes nämlich, einer vormaligen Kaschemmenwirtin, welche er von weitem des öfteren sah, konnte ihm durch und durch gehen und der Anblick der schwarzen Lache auf der Straße ließ ihm jetzt heiß und kalt werden.

Viele Erlebnisse formten ihn. Zu seinen Gunsten konnte vorgebracht werden, daß er viel auf sein Äußeres hielt. War dies vielleicht ein Grund, daß einmal ein Mann von Welt, der dem Alter nach leicht sein Vater sein konnte, auf ihn zutrat und nach der Uhrzeit fragte? Manche wollten indes beobachtet haben, daß er nicht ungesellig war. Sicher ist, daß zu dieser Zeit die Welt noch offen vor ihm lag und daß die Zukunft ihm gehörte.

Seine Selbstvergessenheit hielt sich in Grenzen. Als er jedoch das Kino betrat, war es so still, daß ihm das Leben zu einer Last wurde. Seine Augen gewöhnten sich nicht an die Dunkelheit. Er wollte sich setzen. Es glückte ihm aber nicht. Später mußte er sich setzen.

Die Zeit wurde ihm lang auf der Erde.

Es kam schließlich dazu, daß er das Messer in die Planken des Holzschuppens rannte. Er konnte nicht anders, auch wenn er gewollt hätte. Die Gedanken gehorchten ihm nicht mehr.

Noch war seine Sache nicht verloren. Obzwar er das steuerpflichtige Alter schon erreicht hatte, wurde er behördlich noch nicht veranlagt. Dies machte ihn mißtrauisch gegen sich selber. Überdies lächelte er ungenau, so daß ein Gast, der nicht mehr an sich halten konnte, aufsprang und ihn mit bebender Stimme zurechtwies. Als sei damit der Form nicht Genüge getan, torkelte vor ihm ein angeheiterter Glasermeister über die Straße, den Rücken mit Glasscheiben bepackt, in denen er sich nicht gespiegelt sah. Zu allem Überfluß kam auch noch ein Mann des Weges, der ihm den Handschlag verweigerte.

Darauf fand er die Welt doppelt so schön.

Indem er sich persönlich einer hochnotpeinlichen Befragung unterzog, suchte er seinem Wesen auf den Grund zu gehen. Hatte er richtig gehandelt, als er die Gedanken seiner Gegenspieler durchkreuzte? Wie schon einmal gesagt, hielt sein Können mit dem Wollen nicht Schritt. Dennoch war ihm nicht danach, sich zu verändern.

Nachdem er aber den Keller verlassen hatte, rieb er sich die Augen; er hatte wahrhaftig etwas anderes erwartet. Sogar die Fliegen an den Mauern schienen um Jahre gealtert. Während er querfeldein ging, lachte er Tränen.

Die Ruhe war trügerisch; er spürte, daß seine Sache zu glatt ging, als er sich ihr hätte anheimstellen können. Dazu kam noch, daß er das Gras wachsen hörte.

Einen Augenblick später entdeckte er, daß in seinen Augen ein blinder Fleck war. Darüber freute er sich zunächst königlich. Er spuckte sich vor die Füße. Als er aber einsehen mußte, daß seine Träume wahr geworden waren, konnte er sich selber nicht mehr unter die Augen treten. Aus eigenem Antrieb nickte er sekundenlang ein. Wiewohl die meisten Anwesenden außer Hörweite saßen, erfreute er sich ihrer Gesellschaft. Dazu fügte es sich, daß just in dieser Sekunde ein Auto um die Ecke schoß. Er tastete nach seinem Gürtel, obwohl durch diese Geste sein Leben augenscheinlich keinen Sinn gewann. Sein Pulsschlag war unverändert. Seine Augen sprühten Zorn. Die Muskeln spannten sich. »Der Mond ging auf. Besänftigung zog in sein Herz.«

Allmählich nahmen seine Gedanken Gestalt an. Von allen Seiten war er gelehrt worden, den Weg des geringsten Widerstandes zu gehen. Später hatte er von sich aus dazugelernt, daß es möglich war, über den eigenen Schatten zu springen; hatte ihm diese Erfahrung anfangs noch Vergnügen bereitet, so langweilte sie ihn im Lauf der Zeit derart, daß er sich selber aus dem Weg ging. Er ließ die Dinge links liegen. An einen Zeitungsstand gelehnt, stellte er sich vor, hier vor den Augen der Öffentlichkeit seine Notdurft zu verrichten.

Plötzlich stockte ihm der Atem. Das Lachen blieb ihm in der Kehle stecken. Unbemerkt war er durch eine Schwingtür ins Freie getreten. Er mußte zweimal hinschauen, um dies einmal zu sehen. Es fiel ihm rechtzeitig ein, daß auf dem Breitengrad, auf dem er wohnte, kontinentales Klima herrschte. Das Blut gefror ihm in den Adern.

Zu nachtschlafender Zeit jedoch gewann er wieder sein Selbstvertrauen. Mit einer gewissen Frau von A., die einen recht liederlichen Lebenswandel führte, gab er sich in einem Lagerraum ein Stelldichein. Sie benützten einander, um sich wach zu halten. Aus Trägheit freilich rührte er keinen Finger. Er war eine zwiespältige Natur. Niemals brauchte er einen Anhaltspunkt. Er nahm sogar Abstand, das Messer in den Fluß zu werfen. Mit einmal kannte er sich selber nicht mehr.

Die Stadt war ihm leid geworden. Es blieb ihm nicht mehr viel Zeit, sich aus dem Staub zu machen. Das Trommeln der Stempel in einem Postamt ließ ihn zwar an der Welt nicht irre werden, jedoch er schmeichelte sich damit, daß nichts mehr ihm heilig war. Er hatte keinen Zeitsinn. Über eine Steintreppe steigend, tröstete er sich damit, daß dies der Lauf der Welt sei.

Als er einen Mann mit vier Knöpfen am Rockärmel sah,

riß er verwundert die Augen auf. Man lernte nie aus. Er machte aber gute Miene zum bösen Spiel. Die Welt würde davon nicht untergehen. Aus Langeweile verlegte er sich aufs Nüsseknacken. Auf diese Weise wurde er hellhörig.

Beim Einbruch der Dunkelheit erhob er sich und schaute nach dem Wetter aus. Seine Erinnerung an den Tag verblaßte schneller als er denken konnte. Sollte er das Leben schon hinter sich haben? Die Ereignisse überstürzten sich: ein Fahrgast verlangte einen Fahrschein, ein anderer faltete die Zeitung zusammen, der Zeiger der elektrischen Uhr rückte nicht von der Stelle.

Außer sich vor Wut, rannte der Held der Geschichte offene Türen ein. Er strauchelte. Wiewohl ihm die räumliche Nähe der Menschen wohltat, lief er, was das Zeug hielt. Sogar ein Brotausträger deutete mit den Fingern auf ihn. Er hatte keinen Wunsch mehr. Die Welt versank um ihn. Langsam zog er seinen Kopf aus der Schlinge. Der Wind fegte den Staub aus den Straßenbahnschienen. Da beschloß er, ein anderer Mensch zu werden.

Die Sonne stand im Zenit. Niemand hätte für sein Leben noch einen Heller gegeben. Ein Gürtel wurde ihm umgeschnallt. Er stand im sechsundzwanzigsten Lebensjahr. Sein letztes Wort war: O. Er sagte es, ohne sich zu versprechen.

(1965)

Der Galgenbaum

Die Grausamkeit der Strafen hält davon ab
sie anzuwenden.

Montesquieu

*In unvordenklicher Zeit war es um das Recht so bestellt,
daß die Bestrafung zugleich ein Dienst an den Göttern
war. Die gehenkt wurden, wurden durch das Hängen dem
Windgott geopfert; damit aber der zu Hängende dem
Wind besser überliefert werden könnte, wurde für die Ze-
remonie des Hängens ein blattloser Baum gewählt, der dadurch, daß er der Blätter entblößt war, als ein heiliges Zeichen vom Wind schon geweiht schien; dazu kam noch,
daß die Alten in dem kahlen Baum, um den die andern
noch grünten, ein Abbild des Todes erblickten. Der Gott
des Windes aber, der im Winde erschien, wurde, indem er
sie wiederbelebte, auch der Gott der Gehenkten. Aus dem
kahlen Baum hat sich später der kahle Galgen entwickelt.*

1

Die Tür ist nicht zugefallen.

Als Karl Malden, den Leib gekrümmt, rücklings aus der
Blockhütte die hölzernen Stapfen herabfiel, ist die Tür
von dem vorher erfolgten Eintritt Gary Coopers noch of-
fen gewesen, so daß Karl Malden, während ihn der
Schußprall durch die Tür in das Freie stieß, auf seiner
Flucht nur mit der Schulter die Klinke streifte, welche die
Wucht des Schusses hemmte, indem sie dem torkelnden
Körper Widerstand bot und ihn zu der Zeit, da er über die
Stapfen herabfiel und mit den Schultern fallend die Erde

berührte, durch ihren Rückstoß wieder zu sich kommen ließ.

Der Menge, die betrunken, die Gesichter noch von dem Brand des Dorfes gerötet, oberhalb des Felsens, tanzend, johlend und sich mit scharfen Getränken beschüttend, ohne mit Worten und Gesten zu sparen, ihr Unwesen treibt, ist bis jetzt, da erst der erste ihr in das Blickfeld gerät, wie er, eine gebauchte Flasche unter dem Arm, gekrümmten Leibes rückwärts über die Holzstufen kollert, noch nicht inne geworden, daß es dieser Mann dort ist, dem der Knall galt, den ein paar unter ihnen, indes sie horchten und in ihrem Treiben verhielten, als einen Schußknall gedeutet haben. Nun aber erscheint Cooper in der offenen Tür der Hütte; da das Zusammenrotten der Menge durch ihn verursacht ist, machen die, die ihrer Sinne noch mächtig sind, den andern, indem sie ihnen mit den Hälsen der Flaschen in die Seiten stoßen, sein jähes Erscheinen bemerkbar. Allmählich bricht das Gejohle ab und verzettelt sich in den einzelnen, nach und nach versiegenden Worten jener, die, in die Menge gekeilt, noch nicht mitgekriegt haben, was da vor ihren Augen vor sich geht; dann jedoch, als ihre Nebenmänner sie mit Puffen und Flüchen zum Schweigen bringen, geht ihr Gerede in Lallen auf, bis es schließlich zerflattert, sodaß auf dem Schauplatz außer dem Knacken der Flammen am Fuße des Felsens jetzt Stille herrscht.

Die auf den Stangen des Wagens hocken, haben den besten Ausblick.

Der erste Schuß ist bereits in der Hütte gefallen; er hat Malden durch die offene Tür in das Gras geworfen; die Flasche, an die er sich in seinem Sturze geklammert hat, hat der Aufprall zertätscht und ihm aus der Hand geschmettert. Cooper, dem der schwarze Hut das Gesicht beschattet, steht nun über ihm inmitten der Tür und richtet von neuem die Waffe auf ihn, um deren Kolben sich heftig die Finger verkrallen; auch die Zähne sind solcherart ineinander verbissen, daß der Knabe, der in der ersten Reihe der Rotte ihm aufmerksam zuschaut, in den eigenen Wangen den Krampf dieses Mannes verspürt. Malden, kaum daß er die Erde mit den Schultern berührt hat, rappelt sich wiederum auf und tapst, indes er lauernd den anderen über ihm anschielt, nach der eignen verrutschten Waffe im Gürtel; Cooper läßt es zu, daß der andre die Waffe halb aus dem Gürtel zieht; dann aber feuert er, indem er den Lauf senkt, die nächsten beiden Geschosse in den Leib Maldens, dem darauf, während ihm die Hand von der Waffe wegschnellt, der Boden von den Füßen gerissen wird, so, daß er, ohne freilich Cooper aus seinem schiefen, von unten herauf starrenden Blick zu lassen, nach hinten über die Böschung auf den Felsrand zu kollert. Jedoch noch ehe der Mann den Boden wieder berührt hat, ist seine Hand nach dem Gürtel und nach der halb hervorgezogenen Waffe gefahren.

Cooper, der aufrecht mit steifen Beinen, hinter ihm her die Stapfen herabsteigt, gibt ihm wieder die Zeit, die er braucht, die Waffe halbwegs herauszuzerren. Dann, während Malden, die eine hohle Hand noch immer unter dem Bauch, kniend sich mit der zweiten Hand um die Waffe bemüht, ohne sie aber ordentlich heben zu können, schießt ihm Cooper, der in seinem Steigen und Gehen nicht einhält, das nächste Geschoß schräg von oben herab in den Leib, so daß Malden, von dem Einschuß gerammt, kreiselt und mit fuchtelnden Armen weiter zurück zu dem Felsen stürzt. Nun aber geschieht es, daß er sogleich von neuem sich aufbäumt, in einem Satze nach vorn hetzt und, indes er dies tut, unverdrossen mit den

Fingern die Waffe zum Schießen aufrichtet. Noch während der Mann springt, schleudert das nächste Geschoß Coopers, der in seinem steifen, behutsamen Gehen keineswegs einhält, Malden zuerst aufwärts und in die Luft, und darauf, als er sich oben um sich selber gedreht hat, in einem großen Bogen entgegen der Richtung, in die er gehetzt ist, in das mit Steinen durchwachsene Gras zurück, wo er nur dadurch, daß er die Knie spreizt, den Körper vor dem Absturz über den Felsen ins brennende Dorf schützt. Er beugt sich, jetzt auf den Knien, vornüber und verschlingt die Hände unter dem Bauch, um mit ihnen die Wunden zu dämmen; über das ganze Gesicht, aus dem er schief von unten herauf den unentwegt schleppend sich nähernden andern betrachtet, fängt er, weißen Schaum auf den Lippen, die knollige Nase prickelnd vom Schweiß unversehens zu kichern an; die Finger, die sich aus dem Bauch jetzt lösen, heben aber von neuem, während der Mann, schon tot, grinsend den sich nähernden andern betrachtet, die Waffe über den Gürtel hinauf. Cooper, der gemächlich fortwährend den Abstand verkürzt, neigt dazu im Gehen fortwährend den Lauf, sodaß der noch immer stetig sich hebende Blick des toten Mannes am Felsrand und der sich senkende Lauf der Waffe einander Auge in Auge schauen. Dann feuert er, ohne zu halten, das letzte Geschoß in den sich verschleiernden Blick, bevor noch der Tote den Abzug ereilt hat. Während Malden hintüber fällt, fährt in einem Ruck die Hand durch den Auftrieb, den ihr der Einschlag der fremden Kugel verliehen, von selbst mit der Waffe bis ins zerstörte Gesicht hinauf. Es gelingt ihr freilich nicht mehr, den Abzug zu drücken.

Gary Cooper hat nicht aufgehört zu gehen; er ist jetzt so weit gekommen, daß er gehend vor Malden gelangt und den Toten, dessen Finger noch immer den Lauf der Waffe aufrecken, vollends erledigt, indem er, unaufhaltsam dem Felskopf zuschreitend, weit mit dem Bein ausholt und, ohne dieses zu knicken, mit dem vorwärts sausenden Fuß vermittels eines wuchtigen Tritts den Toten in den Abgrund befördert.

2

Die Menge hat indessen die Augen nicht von den beiden getan; wie beim Tennis sind die Pupillen nach links und nach rechts gewandert; ohne daß sie sich von der Stelle bewegt, hat die Horde mit gebannten Blicken die Tötung des Mannes betrachtet; keiner hat für das Opfer auch nur den Finger gerührt; vielmehr haben die schwitzenden Hände sich eng um die Hälse der Flaschen geschlossen. Jetzt aber, nachdem durch das Ende des Schauspiels die Augen vom Schauen und Starren gelöst sind, kommt wiederum Leben in sie, derart, daß zunächst ein jeder von ihnen in einen Aufschrei ausbricht, so als hätte die Luft, die im Schauen die Kehlen anblähte, die gespannten Lungen endlich entzwei gerissen. Zugleich mit dem Schrei ereignete es sich, daß die Meute, aus dem Bannkreis befreit, unter unaufhörlichem Toben und Grölen, indes der eine wie auch der andere die Flaschen über den Kopf schwingt, mit heftigen Sprüngen den Abhang hinabsetzt und Cooper, der keine Anstalten trifft, sich zu regen, nachdem er den Sturz Maldens, soweit er es konnte, verfolgt hat, mit den Flaschen umringt, ihn mit den Händen, die einander im Weg sind, an den Beinen und unter den Achseln ergreift und ihn, ohne daß er sich sträubt, in einer ähnlichen Raserei, in der man herabgestürzt ist, auf ihn einspuckend, ihm den Hut und den Rock vom Leibe fetzend und ihn gräßlich verwünschend, den Hang hinauf schleift, zu dem kahlen Baum, unter den man sich früher geschart hat. Hier wird der Mann, der keine Miene bewegt, auf die eigenen Füße gestellt. Einer von ihnen steigt auf die bloßen Wurzeln des Baums, sodaß er die andern, die lärmend Cooper bedrängen, um einen Kopf überragt, wirft sich dort durch lautes Gebrüll und Stampfen zum Wortführer auf und fordert, nachdem er durch sein Brüllen das Gejohle der andern überschrien hat, mit einer sich überschlagenden Stimme, daß der Mann schnurstracks in den Baum gehängt werde. Noch bevor er aber den Vorschlag beendet, sind von den äußeren Rändern der Menge ein paar zu dem Leiterwagen gerannt, der, zum Glück, in der Nähe steht, und haben, indem sie ihn stießen und schoben, sich eilends an diesem zu schaffen gemacht, so daß sie sich, als die Rotte dem Redner, ohne ihn aussprechen zu lassen, heulend und zornentbrannt die Zustimmung gibt, schon mit den Deichseln durch die Schar den Weg zu dem Baum hin bahnen. Während Cooper herbeigeschleppt und mit geknickten Knien von denen, die schon auf den Wagen gesprungen sind, hinaufgelüpft wird, wo ihn die Obenstehenden mit Gewalt zurück auf die Füße stellen, entknotet schon ein anderer den Strick von dem Viehpflock und wirft ihn dem nach, der jetzt flink den Baum hinaufklettert und sich über dem Wagen bereits auf den untersten Ast hockt. Der Strick wird um den Ast geschlungen, sodann herabgelassen und um den Hals des Mannes geknüpft. Andere, die das Stehen nicht aushalten können, haben schon vorne die Deichsel gehoben. Es trifft sich hinfort, daß die Meute, auch wenn sie an einer Stelle zur Ruhe kommt, ohne Verzug an einer zweiten in eine Bewegung ausbricht: sowie jene, welche die Deichsel gehoben haben, in ihrer Bewegung erstarrt sind, sind die Helfershelfer nach dem Knüpfen der Schlinge vom Wagen gesprungen; sowie diese andern sich wieder beruhigt haben, nehmen andre der Schar die Bewegung auf, indem sie nach hinten zu laufen und zum Schieben Hände und Knie gegen den Wagen stemmen; sobald nun diese in Ruhe sind, bewegt sich der Rädelsführer der Menge, indem er emporspringt und mit dem Arm und einem heiseren Schrei sein Zeichen erteilt; sobald der Rädelsführer in Schweigen verfällt, haben die Männer zu beiden Enden des Wagens sich vorwärts geworfen und die Räder mit einem Ruck über die Wurzeln und weiter gestoßen. Als nun auch der Wagen wiederum still steht, ist es der mit dem Strick um den Hals, der die Bewegung besorgt, indem er unter den Füßen in einem Schwung den Boden verliert und der schauenden Rotte die Bewegung des Zappelns vorführt. Jedoch es fügt sich, daß der feuchte Strick, schlecht geknüpft, über den Halsknorpel rutscht, und daß der Mann nur unter dem Kinn daran baumelt, ohne daß ihm, außer der Atemnot, Böses geschieht. Sofort auf das Mißgeschick hin wird der Wagen zurückgeschoben, bis Cooper mit den tastenden Füßen wieder das Brett erangelt. Einer, nachdem er die Flasche mit einem Hieb auf den Kufen zertrümmert hat, läuft an, springt auf, und schiebt und rüttelt, während die andern die Plätze zum Schauen einnehmen, die Schlinge über Nacken und Hals an die richtige Stelle zurück. Diesmal wartet die Meute nicht einmal ab, daß der, der die Schlinge gerückt hat, vom Wagen abspringt: mitsamt diesem Mann, der durch den Anstoß nach hinten aufs Brett schlägt, prellen mit Köpfen und Armen die andern die Räder vom Fleck, sodaß Cooper, das Gesicht noch immer verbissen, frei in die Luft schwappt und an dem knarrenden Strick, indes ihm die Knie an dem Körper aufzucken, dort oben hurtig herumtanzt. Dann aber bricht das ununterbrochene Knarren zu einem stoßweisen Knacken, steigt zu einem winselnden Sirren an und birst, indem es wieder herabfällt, in ein pralles Knacksen, das durch den Aufschlag des Körpers erwidert wird. Das Folgende versäumt der Knabe. Der Führer der Rotte hat ihn, während die einen den gerissenen Strick zusammenbanden und die andern dem Mann auf die Beine halfen, zu sich befohlen und ihn geheißen, nach einem festeren Strick in das Blockhaus zu rennen, da er, der Knabe, als der Sohn, mit der Räumlichkeit dort wohl vertraut sei. So sieht er nun, als er, die Arme verwickelt mit Massen von dünnen und dickeren Stricken, in seinem Feuereifer zu dem tobenden Haufen zurückläuft, an den langen Gesichtern und an den zerfransten weggeworfenen Schlingen, daß auch die weiteren Versuche mit dem wiedergeknoteten Strick der Menge mißglückt sind, und daß es auch wenig gefruchtet hat, für die Schlinge eine zähe Liane zu nehmen: Cooper steht noch immer gekrümmt auf dem Wagen, von zweien sorgsam gestützt, und schaut dem Knaben entgegen, der wie gerufen die festen, trokkenen Stricke herbringt. Diese werden ihm auch sogleich aus den Armen gerissen; man schleudert sie flink auseinander, damit sie sich trennen, fängt sie auf und prüft sie auf ihre Stärke und Kraft, indem je zwei aus der Meute hüpfend mit ihnen Tauziehen spielen; schließlich wird einer der Stricke gewählt, zu dem, der auf dem Ast hockt, geworfen und, noch während ihn dieser oben befestigt, schon als Schlinge von zu vielen Fingern über den Kopf des Mannes gehalftert. Nun aber kommt es, daß dem Mann, der alles Geschehene ohne Regung mit dem verklemmten Gesicht über sich ergehen hat lassen, nach den vielen fehlgeschlagenen Versuchen vor dem nächsten

Versuch sinnfällig das schon aufgegebene Leben wiederum lieb wird: er öffnet nämlich plötzlich den Mund und fängt in vielerlei verworrenen Sprachen, die indes keiner von ihnen versteht, zu der Menge stammelnd und schluckend zu reden an, so lange, bis seine Worte sich überstürzen und sinnlos werden und er auf beredte Gesten verfällt, deren Sinn jedoch ebenso dunkel wie sein Reden bleibt, sodaß die Rotte nur schallend hohnlachen kann, während schon alle zugleich zu den Enden des Wagens hin stürzen und ihm die vom Willen bestimmte Bewegung abschneiden, indem sie von neuem mit Köpfen, Händen und Knien die Räder anstoßen und vorne die Deichsel anreißen, was bewirkt, daß der Mann, dem der Strick die Kehle zuschnürt, baumelnd zunächst die Sprache, dann die sich der Gurgel entringenden Laute, darauf die gewollten Gebärden und zuletzt auch die nicht gewollten Bewegungen verliert.

Indessen, ohne sich viel um das Zappeln und Zucken zu kümmern, sind die Teile der Rotte nicht faul gewesen: der Rädelsführer, dem beim Zuschaun etwas durch den Kopf gegangen ist, weist die am Wagen, die über die Schultern gierig den erschlaffenden Mann betrachten, an, den Wagen zurückzustoßen, ihn, obwohl er schon tot ist, *noch einmal* aufs Brett zu stellen und sogleich, mit dem wegzurammenden Wagen, *noch einmal* zu hängen; aus dem Drang, zwischen den Vorgängen eine Einheit und einen Einklang zu schaffen, ordnet er zuletzt an, den Strick von dem Ast zu lösen, den herabgeplumpsten Mann auf den Wagen zu laden und sodann den Mann samt dem Gefährt, den Strick dazu, die Böschung hinunter und über den Felskopf ins brennende Dorf zu befördern.

Das geschieht auch.

(1964)

Über den Tod eines Fremden

In den Überresten eines Bunkers fand ein Junge, der seinen Ball suchte, einen Mann; er erblickte ihn, bevor er noch ganz hinuntergestiegen war durch die dichten Brennesseln zu dem Wasser auf dem Boden des Bunkers. Vielleicht war er gerade stehen geblieben unter den Nesseln auf dem steilen Hang, ein wenig nach hinten geneigt, um nicht zu fallen; den Arm stützte er in die Hüfte, sorgsam ging sein Blick über die schillernde Fläche des Wassers. Obwohl er einen Ball suchte, war dennoch seine Haltung zugleich die eines Lauschenden, so als ob er, schon eingetaucht mit seinem lang gewordenen Schatten in das abgelegene Gewölbe, weit entfernt von den letzten Häusern, etwas hätte hören können, außer den Wind. Immer noch ist mir das rätselhaft.

Nein, ich bin niemals dort draußen gewesen; also kann ich gar nicht beschreiben, wie es dort aussieht. An jenem Abend habe ich mich umgezogen und bin ins Kino gegangen. Ich denke daran, wie ich im Dunkeln saß unter den vielen Leuten. Plötzlich ging in dem Film der Mond auf über einer Landschaft, und mit einer sehr blauen Helligkeit fiel sein Licht in den Saal. Da muß ich wohl irgend etwas vor mich hingesagt haben, denn der Junge neben mir ließ von seinem Mädchen ab und schaute mich an. Das Mädchen legte den Kopf an die Wand zurück und blinzelte unter den Wimpern zu mir her. Dann wischte sie mit dem Handrücken über die Lippen und zog mit dem Arm den Kopf des Jungen wieder zu sich heran. An jenem Abend bin ich im Kino gewesen. Aber den Titel des Films habe ich vergessen.

Ich wohne hier in der Stadt bei der Schwester meines Vaters. Das hat den Vorteil, daß ich, wie man sagt, kommen kann und gehen, wann ich will. Ich sehe sie nur manchmal am Morgen, bevor ich zur Arbeit fahre oder in die Schule. Ich sperre im Hof das Fahrrad auf, und wenn ich mich aufrichte, erkenne ich hinter den Scheiben, von dem eisernen Gitter geviertelt, ihr schläfriges Gesicht. Dann kommt es vor, daß sie das Fenster aufmacht und mich mit tiefer Stimme fragt: Warum sagst du nichts? Was soll ich sagen? gebe ich zur Antwort, während ich schon auf das Rad steige, den Blick durch die Ausfahrt auf die Straße gerichtet. Man müßte dich nehmen und schütteln, sagt sie. Man müßte dich schütteln wie ein Kind. Es ist, als ob du gestorben wärst. Darauf nehme ich die Hände von der Lenkstange und klatsche ihr über dem Kopf Beifall, nach der Art, die ich bei Ägyptern gesehen habe, auf dem Fußballplatz. Das war gut, sage ich. Noch einmal. Darauf fängt sie ein bißchen zu lächeln an, sodaß ihre Augen lang werden, und hebt langsam den Arm. Nein. Ich bin noch niemals dort draußen gewesen.

Das Kino, in dem ich an jenem Abend war, ist allerdings nicht sehr weit weg davon, das gebe ich zu; aber man muß immerhin noch eine ziemlich lange Straße hinuntergehen an den Gärten vorbei, an verschlossenen Häusern, mit dem zitternden Licht der Laternen auf den Wänden. Die Straße biegt dann nach rechts und verzweigt sich endlich zwischen den letzten Häusern in Wege, die alle wegführen in das hohe fransige Gras, bis man ihre Spuren nicht mehr sehen kann in den Schatten der sich allmählich nähernden Büsche in der Dämmerung oder in der Nacht; jedoch wenn es hell ist, geht der Blick weit hin bis zu der schwarzen Scheune, die jetzt zum Teil verborgen ist von dem blü-

henden Ahorn: dahinter muß der Bunker sein. Aber in der
Nacht oder am Abend war ich noch nie dort, das meine ich
damit. Warum sollte ich auch in der Finsternis hinausfah-
ren zu diesem verlassenen Ort?

Am Tage freilich, wenn das Wetter angenehm war, bin
ich schon oft dort draußen gewesen; ich habe ja nie etwas
anderes behauptet. Ich legte mich neben das Rad ins
Gras und schaute hinauf; oder ich hatte ein Buch bei mir
oder ein Wildwestheft: das kann man nehmen, wie man
will. Auch damals war ich dort, an dem Nachmittag, bevor ich ins Kino ging; es hatten aber gerade ein paar
Leute in der Nähe der schwarzen Scheune ihr Ringelspiel
aufgemacht und ihre Schießbude. Deshalb ging ich zu ihnen hin, nachdem ich das Rad in einem Bombentrichter
versteckt hatte, und schaute ihnen zu. Die ältere Frau
hängte vielleicht die Wäsche auf zwischen dem Wohnwagen und einem Baumstamm, und der Mann lehnte an
dem Ringelspiel, die Zigarette schief in den Lippen: das
ist das überkommene Bild von diesen Leuten. Vielleicht
trug er auch einen hellen Panamahut, ein zerrissenes ka-
riertes Hemd und Lederhandschuhe; und das Mädchen
auf der Brüstung des Schießstands hatte das Haar lang
über die Schultern verbreitet; es muß aber nicht schwarz
gewesen sein. He, sagte sie etwa, während sie die Beine
auseinanderschlug. Ich trat näher und schaute zu ihr hinauf. Dabei blieb sie auf der Brüstung, ohne sich zu rühren; ihre Arme waren verschränkt, der Blick abwesend;
nur mit der Sandale an ihrem Fuß wippte sie unaufhörlich
auf und nieder. Ihr seid auch im vorigen Jahr hier gewesen, sagte ich. Das ist leicht möglich, hätte sie zum Beispiel darauf erwidern können; jedoch sie schwieg. Damals seid ihr vier gewesen, sagte ich. Das sind wir auch

jetzt, sagte sie und schaute zum Wohnwagen hin: das helle Bündel dort im Gras mochte ein Kind sein. Dann seid ihr jetzt fünf, sagte ich. Und nach einem Schweigen: Wo ist er?

Nein, das ist gelogen. Wie hätte ich mit dem Mädchen reden können, das ich noch nie gesehen habe, und dazu über Dinge, von denen ich nichts wissen konnte? Wie konnte ich eine Ahnung davon haben, daß sie noch einen zweiten Mann bei sich hatten, da doch niemand zu sehen war, als ich hinkam zu ihnen, und als ich mit ihnen sprach, und als mich keiner von ihnen erkannte? Nein, das ist alles gelogen, und es tut mir leid, daß ich gelogen habe. Aber das ist doch keine Vernehmung und kein Verhör.

Seltsam kommt es mir allerdings selber vor, wenn ich erzähle, daß ich lange dort blieb bei den Leuten und daß ich nach den Blumen schoß in dem Schießstand oder daß ich mich seitlich auf ein Pferd setzte und darauf im Kreis fuhr um den Mann, der das Karussell bediente, das Gesicht unentwegt auf das ganze Gelände gerichtet. Ich weiß selber nicht, warum ich das getan habe; vielleicht aus Langeweile, und weil ich sonst nichts zu tun wußte an diesem Samstagnachmittag, bevor der Film anfing. Die ganze Zeit aber kam niemand außer ein paar kleinen Jungen und Mädchen, die scheu aneinandergedrängt eine Weile zum Ringelspiel herschauten und dann wegliefen zur Scheune hin. Kein Geschäft heute, Präsident, sagte ich zu dem Mann, als ich vom Pferd stieg. Wart nur bis zum Abend, sagte er und schlug sich mit dem Handschuh über den Schenkel. Dann hob er das Kinn vom Hals und starrte mich an.

Sonst war es immer so, daß ich hinkam an den Ort und mich ins Gras legte. Es störte mich niemand; aber es hätte mich auch niemand stören können. Diesmal jedoch waren Fremde da; keinen von ihnen hatte ich jemals gesehen.

Hinter der Scheune fand ich dann die Kinder, die Fußball spielten, Jungen wie Mädchen. Sie hatten sich die Schuhe ausgezogen und damit das Tor bezeichnet; bloßfüßig im hohen Gras mühten sie sich nun um den Ball und stürzten übereinander; der ganz unten lag, war nur zu erkennen an seinen gedämpften Schreien. Auf einmal erstarrten alle; einer nach dem andern, wendeten sich ihre Köpfe der Mulde zu, in der der Bunker lag: gerade stieg daraus ein Mann hervor mit einem Sack auf den Schultern. Er zog die Oberlippe über die Zähne bis zu dem grauen Schnurrbart hinauf und stand breitbeinig da, die Arme um den Sack gelegt wie um eine Keule, und er schaute uns an und er schaute uns nicht an. Erinnern kann ich mich kaum noch, wie er dann weiterging, quer über das zertretene Gras, an uns vorbei und durch die Büsche; ob er hinging zu dem Ringelspiel oder ob er in einer der Baracken wohnte am Ende der Straße, das weiß ich nicht. Er sah aber eher aus wie ein Fremder.

Mir fiel dann am Abend, als ich im Kino vor meinem Platz stand in der letzten Reihe, das Fahrrad ein, das ich in dem Trichter hatte liegen lassen. Es war möglich, daß die Burschen, die später zum Schießstand kamen, einmal abseits gingen und es fanden. Oder was sonst fiel mir ein, während ich auf die weiß beleuchtete Leinwand schaute? Nein, das Fahrrad nicht: auf dem war ich nämlich von dort zum Kino gefahren. Ich hatte es abgestellt unter den andern auf dem Platz vorne draußen. Was also fiel mir ein, während ich dastand und die abgeschnittenen Schatten der Köpfe sah, die die Leinwand zu ihren Plätzen hin drängten? Es ist schon gut, sagte ich zu mir. Es ist ja noch nichts geschehen.

Ich stellte mir vor, wie es in so einem Bunker aussieht, wenn man am Abend hinuntersteigt oder gar in der Nacht: man müßte wenigstens ein Feuerzeug bei sich haben oder Streichhölzer. Am besten wäre eine Taschenlampe. Ich habe mir vorgestellt, ein Feuerzeug bei mir zu haben. So bin ich hinuntergestiegen über die mit Brennnesseln bewachsenen Betonstufen bis zu dem Eingang. An jenem Abend ist der Boden vielleicht noch trocken gewesen. Ich pfiff mit einem langen Atem, so wie man im Radio den Wind nachmacht, wenn man Kindern eine Geschichte erzählt; es war aber widerhallos zu hören wie im Freien. Auch als ich einen Stein in die Finsternis warf, kam kein Nachhall. Ich hielt das Feuerzeug empor und las die Namen von den Wänden und die Tage, Monate und Jahre, die mit Fingernägeln und Haarnadeln in den Kalk geritzt waren. Auch den Seitengang fand ich leer wie den ersten. Ich taste mich bis zu der hinteren Wand. Dabei griff ohne meinen Willen die Hand in eine Nische und zuckte zurück. Ich leuchtete hinein und fand morsches Holz darin und das Papier von alten Zeitungen aus einem Krieg; es gab jedoch nirgends sonst ein Zeichen, daß hier jemand geschlafen hatte.

Was soll das heißen: ein Zeichen, daß hier jemand geschlafen hatte? Ich meine das so: Es hat sich ja später herausgestellt, daß in der Nacht damals der Mann mit dem Sack betrunken in den Bunker zurückkehrte, weil sie für ihn keinen Platz in dem Wohnwagen hatten. Jedesmal, wenn sie in unsere Stadt kamen mit ihrem Ringelspiel, schlief er dort unter der Erde; die Decken aber hatte er diesmal in dem Sack mit sich getragen, das hatte ich zuvor nie bei ihm gesehen. Sonst lagen sie nämlich immer hinten in dem Seitengang, wenn ich hinunterkam, eine über der andern wie ein Thron. Und wir saßen da und redeten miteinander, oder wir redeten nicht und schliefen oder tranken, jeder an einer Wand, bis es dann Tag wurde.

Nein, nein, das ist erfunden. Eins will ich zugeben: daß ich zurückging mit den vielen andern, als der Film zuende war. Ich hatte nämlich im Bombentrichter das Rad vergessen, ja, ich hatte mein Rad vergessen. Und weil ich noch nicht heimfahren wollte, schaute ich mir den Betrieb an. Der Mann hatte recht gehabt: es waren eine Menge Burschen gekommen mit ihren Mädchen, denen sie die geschossenen Rosen an die Blusen steckten. Einmal schaltete der Mann, der das Karussell bediente, den Lautsprecher ein; ich erinnere mich, daß einige Burschen fluchten, weil die Musik so ernst war und nicht geeignet für das Ringelspiel. Beschwichtigend winkte der Mann mit der Hand und suchte einen anderen Sender; aber auch hier war die Musik ernst und feierlich, und nach einer Zeit stellte er den Lautsprecher ab. Später habe ich erfahren, daß der Papst in Rom gerade im Sterben lag.

Es ist wahr, das Mädchen stand jetzt nicht mehr hinter der Brüstung. An ihrer Stelle war der Mann, der am Nachmittag mit dem Sack aus dem Bunker gestiegen war. Wenn ich zu ihm hinschaute, sah ich sein Gesicht über dem Gewehr, das die Hände luden. Er war schon so betrunken, daß er wohl nichts mehr erkennen konnte. Oder vielleicht erkannte er jemand, als er einmal zu der Finsternis her, in der ich an dem Baum lehnte, langsam den Arm hob.

Ich war noch nie dort draußen. Als ich nach dem Film zu Hause ankam, fing es gerade heftig zu regnen an;

und als am Tage danach der Junge, der seinen Ball suchte, langsam über das Wasser schaute, erblickte er in dem Wasser einen Mann, der auf dem Abhang ausgeglitten war.

(1963)

Die Reden und Handlungen des Vaters im Maisfeld

(Voranzeige eines Films)

Den gewöhnlichen Aufenthalt (wobei unter Aufhalten die körperliche Anwesenheit verstanden wird) hat jemand dort, wo er sich unter Umständen aufhält, die erkennen lassen, daß er an diesem Orte nicht nur vorübergehend verweilt. Jedoch kann auch eine vorübergehende Anwesenheit einen gewöhnlichen Aufenthalt begründen, wenn den Umständen zu entnehmen ist, daß der Wille dessen, der sich dort aufhält, sich auf ein ständiges Verweilen richtet. Eine Abwesenheit, die nach der Lage des Falles nur als vorübergehend gewillt anzusehen ist, unterbricht den gewöhnlichen Aufenthalt nicht.

Zugleich mit dem Erscheinen und Sich-Abspulen des ersten Bildes, das bestimmt ist von den schnappenden, noch lautlosen Mundbewegungen einer vierschrötigen männlichen Person von ländlichem Aussehen, die, das Gesicht zum Beschauer und zugleich in die Tiefe des Bildes sich vom Beschauer entfernend, rücklings über die abgerupften Grasbuckel dem in einer Luftströmung schwankenden Maisfeld zustolpert, im Laufschritt gefolgt von einer jüngeren, ebenso ungeschlachten und derben Person von dem gleichen Geschlechte, die, dem Beschauer den Rücken zukehrend, in die Tiefe des Bildes dem anderen nachsetzt und mit weitausholenden Gesten augenscheinlich das Entfernen der ersterwähnten Person verhindern will, dringt in das geschwind abrollende Bild von außen die Stimme des Sprechers herein, der bezüglich des Geschehenen anfängt zu fragen, was der rückwärts sich fortbewegende Mann denn bezwecke, was ihn dort hinführe, was, wie der Sprecher fortfährt zu fragen, während der Mann in dem Bild mit den nach hinten stampfenden Beinen sich einen Pfad in das Maisfeld einebnet, die Person dann ins Feld hineinführe, was, wie er fortfragt, während in dem Bild die Pflanzen, indem sie in die alten senkrechten Stellungen schnellen, in einem immer noch lautlosen Klatschen die Gestalt des im Mais verschwindenden Mannes verschlingen, die Person wohl veranlasse, sich solchenorts zu verbergen, was die andre Person nun veranlasse, am Feldrand stehen zu bleiben, was, wie der Sprecher sich schließlich ereifert, überhaupt hier gespielt werde. Seine kurzen Reden von außen haben so wenig Zeit in Anspruch genommen, daß sein Verstummen mit dem Verschwinden des Mannes zusammenfällt. Darauf setzen sogleich für das bis jetzt lautlose Bild, in dem die Gestalt des Burschen allein mit schiefem, lauschendem Kopf und hängenden Armen am Feldrand verharrt, die als zugehörig bekannten Geräusche ein, das als Schnaufen bekannte Atemgeräusch des Burschen, die als Rascheln und Knarren bekannten Geräusche des Maisfelds, das als Sausen oder Säuseln bekannte Geräusch des Windes, sowie, alles übertönend, die weithin schallende Stimme des entschwundenen Mannes, die, vom Wind und pfeifendem Husten durchbrochen, grölend in einem Singsang aus dem Maisfeld schon unverständlich gewordene Wortbrocken speit, die, bei sich auf der Stelle bewegendem Bild, den Wortlaut aufgibt und ein Ächzen und Jammern wird, die ein Stierbrüllen wird, die den Tierlaut aufgibt und zu raunen und heulen beginnt, die zu knarren beginnt, die mit der Kehle (oder was immer es sein mag) ein Röhren und wechselnd ein

Schnarren erzeugt, die das Heulen den rauschenden Blättern, den knarrenden Stengeln annähert, die, indes in dem Bild die Person an dem Feldrand im begierigen Lauschen immer weiter den Hals herausstreckt, ein Rascheln wird, die ein Raunen wird, die ein Säuseln wird, die endlich flach in die Geräusche der Luft und des Maisfelds verebbt, sodaß, als die Geräusche nun ununterscheidbar und eins sind, ohne Verzug in das Bild, in welchem der Ton wieder aussetzt, während der bäurisch gewandete Bursche am Feldrand, mit den Fingern am Hemdkragen nestelnd, still in das undurchschaubare Feld starrt, von außen, unter Fragen, was die Person denn gedrängt, sich auf solche Weise davonzustehlen, was die andre Person denn gehindert, auf dem nämlichen Wege ihr nachzufolgen, wer denn, um alles in der Welt, die Fäden in Händen halte, von neuem die Stimme des Sprechers eindringt.

Noch während der Sprecher von außen das letztere fragt, flieht das Bild mit dem glotzenden Burschen und wird, noch ehe es vollends entflohen, von einem zweiten verdeckt und verdunkelt das, wie aus dem im ersten verborgenen Hause ersichtlich, eine andere Ansicht des Maisfelds vorführt. Bei nächtlicher Beleuchtung sind, am Feldrand stehend, zwei Personen zu sehen, von denen die eine, jener Bursche des ersten Bildes, nur stier vor sich hinblickt, während dagegen die zweite, bejahrt, weiblichen Geschlechts, mit quiekenden Lauten (dem Anschein nach ist sie stumm), einmal mit beiden Armen auf das stockdunkle Haus deutend, dann mit den Händen ringend und dieselben vor dem Gesicht zusammenschlagend, dann wieder mit beiden gestreckten Armen auf das Haus hinweisend, augenscheinlich bei dem ersten anheischig wird, sich auf dem schnellsten Weg dorthin zu begeben, auf welches Ansinnen jedoch der Bursche, ohne sich von der Stelle zu rühren, mit einer gewissen Ehrerbietung zwar, gleichwohl halsstarrig und hartnäckig die Folge verweigert. Indes sich die Gebärden der Alten an Heftigkeit steigern, springt aus der Fläche des Hauses in einem der Fenster ein Licht auf. Darauf verstummt das Quieken der Alten. In einem zweiten Fenster springt wieder ein Licht auf. Darauf verfällt die stumme Person in ein Wimmern und Winseln. Nacheinander springen in drei weiteren Fenstern drei weitere Lichter auf. Die Stumme fährt mit den Armen unter die Schürze, schlägt das Kleidungsstück auf und verhüllt damit das Gesicht. Die andre Person hebt endlich den Kopf und stiert auf das eine noch finstere Fenster. Auch in diesem springt nun das Licht auf. In keinem der Fenster ist ein Schatten zu sehen. Der Bursche wendet den Kopf und blickt in das Maisfeld. Von der Seite, von welcher aus dem Hause das Licht fällt, sind die Pupillen gläsern beleuchtet. Plötzlich erlöschen wiederum alle sechs Lichter. Das Weib, das durch die Verhüllung dies wahrnimmt, krümmt sich zusammen. Aus dem rauschenden Maisfeld, ein Maiskorn ausspuckend, tritt zu der Gruppe die Person des ersten Bildes heran. Kein Laut dringt aus dem finsteren Haus. Das Bild verschwindet.

Zu den folgenden Bildern, die sich von einem zum andern im zeitlichen Ablauf verkürzen, sodaß der Eindruck entsteht, auch das Geschehen in ihnen werde ungebührlich beschleunigt, tönt von außen, sich in den alten Fragen ergehend, nur die Worte abwandelnd, wieder die Stimme des Sprechers hinein, ohne freilich verhindern zu können, daß die lautlosen Bilder, da sie augenfällig geschehen, nach und nach den Sinn der unanschaulichen Fragen verdrängen, indem sie zuerst, sogleich das Augenmerk fesselnd, bei Tageslicht die sich auf der Stelle bewegenden Maispflanzen zeigen, das sich auf der Stelle bewegende, hohe, ungerupfte Gras um das Maisfeld, sodann, indem sie, noch in der gleichen Szene, ein unnatürliches Wogen und Wanken der Pflanzen zeigen, ein hundertfältiges Knicken, einen durch das Knicken sich offenbarenden Einbruch, einen Krater im Maisfeld, ein Sich Verbreiten des Kraters, ein Vorwärtsschießen des Kraters, eine im Maisfeld entstehende Fährte, eine entstehende Schneise, ein schnippendes Knicken zu beiden Seiten der Schneise, eine sich weitende Bahn in dem Maisfeld, eine vorwärts getrampelte Straße, ein Näherstoßen der Straße, ein wirres Taumeln und Knicken der letzten verhüllenden Stengel, ein aus dem Felde Brechen eines Rudels von Schweinen, ein einander im Laufe Behindern, ein Stocken, ein mit dem Rüssel die Erde Beschnüffeln, ein Weiterstoßen, ein Schaukeln und Schwappen der Zitzen, ein schräg aus dem Bild Hinausrasen, dann, in der Folge, indem sie ein schwarzes bodengestrecktes Schwirren eines Rudels verfolgender Ratten zeigen, das Verlieren der Brocken des Specks aus den Mäulern der Ratten, das lautlose Quäken der Ratten, hernach, indem sie, noch in derselben Szene, das aus dem Maisfeld Treten des gedrungenen Mannes zeigen, seine geruhsam stapfenden Schritte, sein Einhalten, sein mit der Hand die Augen Beschirmen, sein von einem Bein auf das andere Hüpfen, sein Sich vor Lachen den Bauch Halten, darauf, indem sie, nach gewechselter Szene, das dicht verwachsene Maisfeld von innen zeigen, den aus den Kolben quellenden Maisbart, die nickenden Spitzen der Pflanzen, an Gestalten dazu kniend die Person aus dem Vorbild, weiters neben dem knienden Mann eine weibliche junge Person, auf einem Lager von Blättern und Maisfedern liegend, dazu an Vorkommnissen und

Handlungen das Sich Vorwärtsbewegen des Mannes, das Sich Verstützen der männlichen Fäuste zu beiden Seiten der weiblichen Schultern, das Sich Recken und Strecken der weiblichen Arme, das an den Körper Ziehen eines der weiblichen Beine, das Verschlingen der weiblichen Arme um den männlichen Nacken, das naseweise lautlose weibliche Lachen, das ruckhafte Niederfahren des männlichen Kopfes, darauf, indem sie, wieder von außen, bei liegendem, fallendem Schnee, das Maisfeld, so scheint es, zur Winterzeit zeigen, mit den verdorrten, verkümmerten Stengeln, mit den fahlen, schlappen ungeernteten Blättern, mit den großspurigen, tiefen Stapfen, die ins Feld hineinführen, mit dem überstürzten Erscheinen der Alten, mit ihren schaukelnden Krähensprüngen, mit dem Halsrecken, Spähen und Nachschauhalten, mit der gleichfalls im Vordergrund der Szene geschehenden Dazukunft des Burschen, mit seinem ins Feld hinein Deuten, mit dem Nicken des Weibes, mit dem von weitem sich nähernden schleppenden Gehen des Mannes im schütteren, ausgestorbenen Maisfeld, mit dem Seitwärtsbiegen der Stengel, mit dem Zutagetreten des Mannes, mit dem Zusammentreffen der Personen am Felsrand, mit dem lautlosen Zetern des Weibes, mit dem weiblichen Händefuchteln, mit den strafenden weiblichen Blicken, mit dem unversöhnlichen Glimmen in den Augen des danebenstehenden Burschen, mit dem ruppigen Ballen der Fäuste des Burschen, mit dem Ausstoßen von offensichtlichen Drohungen seitens des Burschen, darauf, indem sie, dem Deuten des Weibes gehorchend, nach einem Schwenken, das bis auf die Grundmauern niedergebrannte, noch rauchende, qualmende Anwesen zeigen, wonach, zu einer anderen Zeit, nach gewechselter Szene, kurz wieder das welkende Maisfeld erscheint, davor der in lautlosem Selbstgespräche begriffene Bursche, der mit gekreuzten Beinen im Gras sitzt und starr ins Feld hinein glotzt, und zuletzt, noch kürzer, das brennende Maisfeld, die Rauchschwaden, die eiligen Schatten der Schwaden, der Wechsel von Helle und Dunkel der Schatten, und wieder der Bursche, der aus dem Maisfeld stürzt und lautlos den Rachen aufreißt.

Für das folgende Bild setzen sogleich, nachdem der unentwegt fragende Sprecher verstummt ist, die zugehörigen Töne, Geräusche und Laute ein. Vor der Ansicht des mannshohen wogenden Maisfelds, in dessen verschrumpelten Blättern der stoßweise Wind ein Knacken und Zirpen hervorruft, erscheint der Bursche, behutsam ein Bein vor das andere setzend, die Arme hoch mit Fudern von trockenem Reisig beladen. Angekommen, wirft er, in einem Ruck, die Last auf den Boden. Wie jetzt erst zu sehen, sind den Feldrand entlang schon ähnliche Lasten gehäuft. Ohne sich eine Rast zum Verschnaufen zu gönnen, schleppt er sogleich den im Gras bereitgestellten Kanister herbei. Indes der Bursche daraus eine Flüssigkeit auf die Reisighaufen verschüttet, stapft er Schritt für Schritt die Reihe entlang. Darauf schleudert er die Kanne von sich und leckt mit der Zunge über den Finger. Er hebt den Arm senkrecht empor und prüft, sich wendend, mit dem gestreckten Finger den Wind. Er nickt befriedigt. Seine Augen strahlen. Er sucht in den Taschen, geht sodann in die Knie und legt Feuer an den ersten der Haufen. Ruhig sich aufrichtend, sich wieder bückend, sich wieder aufrichtend, schreitet er langsam den Feldrand entlang. Dann tritt er zurück und betrachtet sein Werk. Er reibt sich die Hände. Er frohlockt. Die Flammen schlagen heulend ins Maisfeld. Die bekannten Geräusche entstehen. Qualm wälzt sich, Qualm steigt auf. Die

Schatten des Qualmes sprenkeln das Gras, das im Feuer-
wind zittert. Der Bursche kann sich nicht sattsehen. Er
läuft auf und ab und schürt mit einem Rechen die Flammen. Aus der Seite des Bildes, das Profil zum Beschauer,
kommt grobschlächtig, gemessenen Schrittes, die Pfeife
im Mund, der Mann des ersten Bildes herbei. Er fragt den
Burschen, wie die Arbeit vorangehe. Stumm weist der
Bursche ins Maisfeld. Der Mann lobt ihn.

(1965)

Sacramento

(Eine Wildwestgeschichte)

Eines schönen Tages erwachte ich in meiner Kammer auf dem Fußboden; die Hände waren verkrallt in das Hundefell. Die Gegenstände waren mir noch unverständlich. Ich setzte mich auf, steckte die Zeigefinger in die Ohren und bohrte darin. Die Ohren rauschten. Ich drückte die Augen heftig zusammen und schaute wieder hinaus zur Sonne: sie sprang am Himmel auf und nieder. Schnell stand ich auf; die Kammer wurde finster; ich verfing mich mit den Fersen im Nachthemd und fiel über das Bett. Etwas Hartes lag unter dem Bauch. Ich wälzte mich herum und zog es heran: die Bibel. Ich schlug sie in der Mitte auseinander und hielt sie an das Gesicht; ich roch jedoch nichts. Ich drehte den Kopf zur Luke: auch den Mist im Hof roch ich nicht. Wie lange hab ich geschlafen, dachte ich, während ich auf die gestreckten Arme unter dem Buch starrte. Plötzlich sprang an der Tür die Klinke auf und ab. Mach auf! brüllte der Onkel. Ich suchte in dem Buch die Stelle, die er mir zu lernen aufgegeben hatte, und rannte zur Tür; dann schob ich den Riegel zur Seite. Wo ist Elsa? schrie mein Onkel.

Zu der Zeit, als er das sagte, hatte seine Tochter Elsa die Fremden schon eingeholt, die im Auftrag einer Bank auf dem Weg waren, um Gold aufzukaufen: nehmt mich mit, sagte sie; der alte Mann, der sich Jim Borasso nannte, und neben ihm der andre alte Mann hielten die Pferde an und schauten sich nach ihr um; sie spuckten aus und fluchten. Wenn sie nicht mit darf . . . (usw.) sprach aber jetzt der junge Mann, der mit ihr in der Nacht zuvor geredet hatte; zuerst war er oben auf dem Heuwagen hier bei der Farm gesessen und hatte zu ihr hinunter gelacht, dann war er zur Erde gerutscht, und sie hatten miteinander geredet, in das Heu gelehnt, bis der Onkel sie überraschte und Elsa in das Haus zerrte; dort schlug er sie. Am Abend waren die drei Männer gekommen und hatten für die Nacht um ein Lager gebeten. Bevor sie ins Heu gingen, erzählte Jim Borasso von den Abenteuern mit dem andern alten Mann; ich hatte die Arme auf den Tisch gestützt und betrachtete die Ameise, die in der Stirnfalte meines Onkels emporstieg, während er auf Elsa und den jungen Mann schaute. Ich weiß nicht, sagte ich. Wahrscheinlich ist sie auf dem Feld. Er griff mich oben am Hemd und riß mich bis zu seinen Augen empor. Ich blickte durch die Luke, die sich darin spiegelte, auf das Maisfeld hinaus; endlich begann ich den Mist zu riechen. Beschreib mit den Tempel Salomos, sagte er. Nein, sagte ich. Zieh dir die Hose an, sagte er. Er wartete in der Tür, bis ich angekleidet war. Komm, sagte er. Wir gingen über die Treppe ins Vorhaus hinunter; dort wartete ich, bis er den Strick unter den Ketten aus der Truhe gezerrt hatte. Er faßte mich um das Gelenk und zerrte mich zwischen den Hühnern am Mais vorbei zur Koppel. Beschreib mir den Tempel Salomos, sagte er. Ich sagte nichts. Er band mir die Hände auf den Rücken und schlang das andere Ende des Stricks um den Pflock, der für die Ziege bestimmt war. Zieh an, sagte mein Onkel. Ich ging ein paar Schritte vom Pflock, sodaß der Strick sich straffte. Während meine Kusine bei den Goldgräbern war, pflegte ich Tag um Tag angeflockt hinter dem Maisfeld im Gras zu stehen, vom Frühstück bis zum Mittagessen; ich hörte meinen Onkel mit der Peitsche knallen, wenn er pflügte auf den Feldern unter dem Haus; der Hahn schrie, der Mais rauschte, es waren schöne Tage. Bevor der Onkel mich losband, sah ich ihn immer zum Wald hinaufsteigen, wo das Grab seiner Gattin war; eine Zeitlang verdeckte ihn der Mais, da konnte ich nur ab und zu etwas Dunkles hinter den Blättern sehen; dann tauchte er oben am Hang heraus, vornüber gebeugt schritt er mit breiten Beinen hinauf zum Stein.

Inzwischen heiratete seine Tochter im Goldgräberlager, jedoch nicht den bekannten jungen Mann, sondern einen andern, vorher gekannten, mit wilden Augen. Seine vier Brüder waren immer mit ihm; einer von ihnen hatte, als sie Elsa einmal besucht hatten, meinen Kopf vom Pferd aus in die Jauche getunkt. Die beiden wurden getraut in einer Schenke von einem betrunkenen Friedensrichter, der von zwei betrunkenen Mädchen gestützt wurde, während er den Goldgräber fragte, ob er diese – Elsa – zur Frau nehmen wolle; der schaute sie wild an, wandte sich dann um zu seinen Brüdern und sprach, sie sollten endlich das Maul halten; dann wieder schaute er auf Elsa und sagte das vorgeschriebene Wort. Er sah aus, als wollte er gleich mit den Füßen aufstampfen und zu tanzen anfangen. Nachdem auch sie das Wort (das ist so üblich) verschämt gesprochen hatte, fingen die Goldgräber im Saal zu schreien an, die Brüder küßten Elsa, einer nach dem andern, jeder riß sie in eine Ecke, der Friedensrichter legte sich auf den Boden und schlief ein. Während draußen an der Theke die dicke Wirtin scharfe Getränke ausschenkte und der Mann am Klavier den gehörigen Marsch spielte, schleifte der mit den wilden Augen meine Kusine in ein stilleres Gemach nebenan, das für die beiden bestimmt war; vor der Tür im Gang aber stellten sich schon die Brüder an; am Nachmittag erst war der Schmutzigste von den andern mit Gewalt in ein Schaff getaucht worden, damit er rein sei für die Hochzeit; das alles schien in der Familie Brauch zu sein. Elsa, die derartiges nicht gewohnt war, wehrte sich gegen ihren angetrauten Mann und entkam durch die Tür. Zu spät merkten die Brüder, daß sie es war; sie rannten ihr nach in den Saal und hielten sie fest; Elsa schrie (gellend) um Hilfe. Die Eingangstür flog auf, auch das ist üblich, es trat eine Stille ein: Jim Borasso. Laßt das Mädchen los, sprach Jim Borasso; der bekannte junge Mann war mit ihm gekommen; er hatte die Schreie vernommen. Nachdem die Schlägerei vorüber war, führten die beiden meine Kusine mit sich in das Zelt, wo der andere alte Mann soeben das letzte Gold wog, das sie im Auftrag einer Bank zum Transport übernommen hatten. Am folgenden Tag sollte von dem Gericht des Lagers entschieden werden, ob die Ehe rechtlich gültig sei. Vor der Verhandlung stieg der andere alte Mann, seines Zeichens Artist, vom Hof der Schenke in das Zimmer des Friedensrichters und zerriß vor dem Betrunkenen die Legitimation, welche diesen ermächtigte, im Staate Kalifornien zivile Trauungen vorzunehmen; so kam es, daß die Ehe von dem Gericht für nichtig erklärt wurde: es sei eine Ehe nach dem Recht gar nicht zustande gekommen. Elsa ritt am selben Tag mit den drei Männern aus dem Lager, um hierher zurückzukehren. Die fünf Brüder aber begaben sich in die Schenke zum Friedensrichter, der betrunken hinter dem Klavier lag, und verprügelten ihn, bis sie erfuhren, was geschehen war. Darauf verließen sie auf ihren Pferden das Lager. Gegen Mittag holten sie die andern ein und forderten sie auf, das Mädchen herauszugeben; es sprach der mit den wilden Augen. Als jene sich weigerten, kam es zum Kampf. Es war der Schauplatz ein felsiges Gebiet, zur Verfügung gestellt vom Landwirtschaftsministerium der Vereinigten Staaten; die Luft flimmerte, der Wind stieß gelben Sand über die Steine. Der jüngste der Brüder, der sich vor der Trauung zum ersten Male rasiert hatte, wurde als erster getroffen; er hing in einem Gebüsch in der Haltung eines Frosches; er war gleich tot. Einem zweiten hatte sich der junge Mann genähert, ohne daß er gesehen wurde; er war, unverletzt von den Kugeln der übrigen Brüder, zwischen den Steinen herangekrochen; auf einmal war er über ihm in einer Rinne und schoß. Der Getroffene wankte gegen den Felsen und rutschte langsam, mit gestreckten Beinen, zur Erde; das Gewehr hielt er über den Knien. Schritt für Schritt stieg der junge Mann über das Geröll zu dem Sterbenden hinunter; um nicht das Gleichgewicht zu verlieren, hielt er den Körper tief über dem Arm gebeugt; die Spitzen der Finger streiften über die Erde. Noch immer hielt der Getroffene das Gewehr auf den Knien; ich sah, daß es ein Karabiner war. Der Wind blies ihm den gelben Sand in die weit geöffneten Augen; er bewegte sich nicht. Ihm gegenüber stand der junge Mann und wartete; er kauerte sich sehr langsam zusammen: der Körper schien in das Geröll zu sinken, während die Arme, von den Achseln bis zu den Ellbogen an die Rippen gelegt, von unten nach und nach anstiegen; die Finger an den Händen krümmten sich. So schauten sie einander an; dem Getroffenen riß der Wind die Schleife, die er für die Hochzeit umgebunden hatte, über den Hals hinauf und schlang sie ihm um das Ohr. Er schaute auf den jungen Mann, bis dieser vorsprang und ihm das Gewehr von den Knien zog; zugleich fiel er um und starb. Sobald die (übrigen) Brüder hinter den Felsen sich aufgerichtet hatten und ihn sahen, traten sie den Rückzug an.

Während das geschah, stand ich hinter dem Maisfeld am

Pflock und ging langsam hin und her; mein Gesicht war gerichtet nach Pasadena, nach Santa Barbara, nach Santa Cruz, nach San Francisco, nach Santa Rosa; zu den Schlehen, zu den wilden Kirschen, zu den Granatapfelbäumen. Das war das letzte Mal, daß ich hinter dem Maisfeld stand. Gegen Mittag schirrte der Onkel die Pferde aus, wusch sich die Hände am Brunnen und rief dann die Hühner herbei. Ich sah sie in einer Reihe mit vorgeschobenen Köpfen aus dem Mais brechen; ich hockte mich hin und starrte zum Wald hinauf. Dann stieg mein Onkel aus den Blättern hervor und schritt zu dem Grabstein hinauf; am Rücken das Hemd war dunkel von Schweiß. Hinter dem Stein lagen schon die Brüder nebeneinander auf dem Bauch; die Gewehre waren auf ihn gerichtet. Er hielt den Kopf schief, fast auf der Schulter, und stapfte müde den Hang empor; der schwarze Hut in seiner Rechten scheuerte an seiner Hose. Die Brüder waren gedeckt durch die Schlehen und die Schatten der Bäume, sodaß sie ihn leicht erschießen konnten, als er dort kniete. Er fiel vornüber; seine Finger tasteten um die Kanten des Steins; sie lösten sich und fielen mit dem Körper zur Erde, usw. Der mit den wilden Augen kam heran, hob den Onkel auf die Knie und lehnte ihn gegen den Grabstein. Die Männer liefen den Hang herunter; ich sah sie, bis sie vom Mais verdeckt waren. Ich kroch so nahe an das Feld, daß mir der Strick den Kopf nach hinten riß, und setzte mich auf die Fersen: zwischen den schwankenden Blättern huschten sie über den Hof, sie waren ins Haus gegangen, die Tür war zugefallen. Ich zerrte an dem Strick; ich spürte, daß die Haut sich löste. Dann kroch ich zum Pflock zurück und stemmte mich seitlich gegen ihn: mit den Schuhen trat ich die Rinde herunter. Er war jedoch zu tief in der Erde. Ich schaute über die Koppel zum Weg hinauf: dort zügelte soeben ein Reiter das Pferd und beschattete mit der Hand die Augen; neben ihm hielten die drei anderen. Ich erkannte meine Kusine. Ich sprang auf und rief zur Warnung; aber da ritten sie schon den Weg hinunter auf das Haus zu; sie hatten den Onkel in der gewohnten betenden Haltung am Grabstein gesehen. Ich rannte mit dem gespannten Strick im Kreis und zertrampelte das Gras; der Schwung trieb mich noch einmal um den Pflock und warf mich auf den Rücken. Während ich jedoch still lag und mich mit den Fingern am Gras hielt, spürte ich das Drehen der Erde. Ich rutschte an ihr herab und stemmte mich mit dem Absatz in einen Maulwurfshügel; unter dem Himmel, der jetzt ohne Bewegung war, trieb die Erde dahin. Mein Kopf wurde emporgerissen; ich wurde herumgezerrt und erbrach mich. Als ich aufstand, war die Erde still. Den Kampf hatte ich wieder versäumt. Ich sah die Pferde tot auf dem Weg liegen; Elsa kauerte mit den andern hinter einer Böschung; der junge Mann und Jim Borasso waren von den Schüssen aus dem Haus verletzt worden. An meinem Fenster stand einer der Brüder und feuerte voll Wut zwischen die Hühner, die ruhig nach den Körnern pickten; vom Auswurf sprangen die Hülsen bis zu seinem Gesicht hinauf. Der mit den wilden Augen und der dritte der Brüder schossen unten aus dem Wohnzimmer. Endlich richtete sich Jim Borasso auf und rief mit gepreßtem Mund, während der andre alte Mann ihn stützte, sie sollten herauskommen (aus ihrem Loch) in den Hof und offen mit ihnen kämpfen. Gut, schrie der mit den wilden Augen zurück; er verteidigte die Ehre der Familie. Nach einer großen Stille traten die drei Brüder langsam aus dem Haus in die Sonne, die Gewehre in den Ellbogen gelegt. Wieder sah ich sie nur (wie Schatten)

hinter dem raschelnden Mais; sie standen dort, einer neben dem andern. Die beiden alten Männer stiegen
ebenso langsam die Böschung hinauf und schritten auf
die Brüder los; der junge Mann lag neben Elsa im Gras
(doch das ist eine andere Geschichte); seine Hände waren an die Hüfte gepreßt. Jetzt verschwanden auch die alten Männer und wurden zu Schatten. Die Musik schwoll
an. Als jedoch die Schüsse gefallen waren, brach sie jäh
ab. Ich hörte sie leise wieder, nachdem mit gesenktem
Haupt der andre alte Mann hinter dem Mais hervorge-
kommen war. Er hinkte zu der Böschung hin und sagte
etwas; sein Revolver rauchte. Ich spähte durch den Mais
und suchte die andern: vor dem Haustor erkannte ich die
Körper der Brüder; die Hühner stiegen zwischen ihnen
umher und pickten nach Futter. Neben dem Brunnen lag
gekrümmt Jim Borasso. Er wurde in dem Film dargestellt
von Joel McCrea; der Darsteller des andren alten Mannes war Randolph Scott.

(1964)

Das Standrecht

1

Wenn in einem Gebiet dieses Landes ein Aufruhr gegen die rechtmäßig bestellte Obrigkeit von der Art entsteht, daß er mit den ordentlichen Mitteln des Gesetzes nicht unterdrückt werden kann, so ist über das Gebiet das Standrecht zu verhängen. Die Befugnis dazu hat der Verwalter des Landstrichs; droht jedoch unmittelbar Gefahr, so kann auch der Vorsteher der Unterbehörde das Standrecht verhängen.

2

Das Standrecht ist durch den Rundfunk und durch öffentliche Blätter zu verkünden; an Orten aber, die infolge ihrer Abgelegenheit und Öde auf diese Weise nicht in Kenntnis gesetzt werden können, ist das Standrecht bekanntzumachen durch Anschlag an den Hauswänden, an den Scheunen und an den Bäumen am Wegrand. Ist es offenbar, daß die Bewohner des Ortes des Lesens nicht kundig sind, so soll eine Abteilung des Militärs dorthin aufbrechen und den Bewohnern auf dem Dorfplatz das Standrecht verkünden unter Blasen und Trommelschlag; für den Fall jedoch, daß an dem Aufruhr Personen aus einem anderen Land beteiligt sind, welche die Sprache dieses Landes nicht verstehen, ist die Bekanntmachung zu gleich auch in der Sprache des anderen Landes zu verkünden. Hierauf ist den versammelten Bewohnern des Ortes zu befehlen, sich aller aufrührerischen Zusammenrottungen zu enthalten; außerdem ist ihnen aufzutragen, sich einzeln wieder in die Häuser zu begeben und diese nur zu verlassen im Fall der Not; in der Nacht ist es zur Sicherheit des Gerichtes selbst im Notfall untersagt, die Häuser zu verlassen, es entstünde denn anders ein unwiederbringlicher Schaden für die rechtmäßig bestellte Obrigkeit. Die Strafe im Standrecht ist der Tod.

3

Sobald das Standrecht angeordnet ist, hat das Militär dafür zu sorgen, daß an dem Orte die Ruhe herrscht. Überdies sind in größter Beschleunigung die Personen für die Durchführung des Verfahrens herbeizuholen; zum Seelsorger für die Verurteilten kann der Geistliche des Ortes berufen werden; weigert sich dieser, so ist ein Seelsorger aus einem andern Ort zu bestellen. Es ist ferner dafür zu sorgen, daß eine Person gewärtig sei für die Verurteilten, welche die Sprache dieses Landes nicht verstehen. Der Scharfrichter und seine Gehilfen sollen sofort herbeigerufen werden; desgleichen sind die nötigen Gerätschaften bereitzustellen.

4

Das Gericht besteht aus vier Richtern, von denen einer den Vorsitz führt; nach der Ergreifung der Aufrührer sind diese auf dem Dorfplatz dem Gerichte vorzuführen. Sind die Bewohner des Dorfes wegen ihrer drohenden Haltung von der Teilnahme an der Verhandlung ausgeschlossen, so ist es ihnen verboten, aus den Fenstern oder durch die Ritzen der Scheunen zu schauen. Wer dabei ergriffen wird, ist mit einer Geldbuße zu bestrafen; ein Rechtsmittel dagegen ist unzulässig.

5

Nach der Vernehmung veranlaßt der Anklagevertreter die Einleitung des standrechtlichen Verfahrens; es ist zu beachten, daß nur solche Personen vor das Standgericht gestellt werden, die entweder in ihrer aufrührerischen Tätigkeit ergriffen worden sind oder voraussichtlich ohne Verzug der aufrührerischen Tätigkeit gegen die rechtmäßig bestellte Obrigkeit überwiesen werden können. Ein Beschuldigter aus einem andern Lande hat das Recht, die Erwiderungen auf die Fragen des vernehmenden Gerichts dem Übersetzer mitzuteilen; das Schweigen dieses Beschuldigten ist allein noch nicht als Geständnis zu werten; auch das Schweigen der Beschuldigten, welche die Sprache dieses Landes verstehen, weil sie in dem Orte ansässig sind, ist nicht als ein Geständnis zu werten.

6

Sofern es die Tageszeit noch zuläßt, ist die Verhandlung sofort zu beginnen; ist aber die Nacht bereits angebrochen, so ist die Einleitung des Verfahrens für den Morgen des nächsten Tages anzusetzen. Dauert die Verhandlung während eines ganzen Tages ohne Unterbrechung an, und kann dennoch das Urteil nicht vor der Dunkelheit gefällt werden, so ist mit diesem bis zum nächsten Tage zu warten. Wird jedoch das Verfahren zugleich mit dem Urteil an einem Tage beendet, so ist davon auszugehen, ob dem Scharfrichter und dessen Gehilfen eine Durchführung der Exekution in der Nachtzeit zugemutet werden kann; wurde aber das Urteil so früh am Tage gefällt, daß bis zum Einbruch der Nacht noch genügend Zeit zur Vorbereitung auf den Tod bleibt, so ist die Strafe in jedem Fall noch am selben Tag zu vollziehen. Das Verfahren darf eine Dauer von drei Tagen nicht überschreiten.

7

Gegen die Einleitung des Verfahrens können die Beschuldigten Beschwerde führen; diese Beschwerde geht an das übergeordnete Gericht. Gegen die Abweisung der Beschwerde ist kein Rechtsmittel zulässig. Der Beschuldigte aus dem anderen Land kann wegen Nichtzuständigkeit dieses Gerichtes keine Beschwerde führen; es steht ihm jedoch ein Rechtsmittel zu wegen Untauglichkeit oder Voreingenommenheit des Übersetzers; gegen Verwerfung dieses Rechtsmittels ist ein weiteres Rechtsmittel nicht zulässig. Fährt der Beschuldigte aber fort zu schweigen, so kann der Übersetzer nach dreimaliger Aufforderung an den Beschuldigten, sich zu äußern, von dem Gerichte als unnötig entlassen werden. Gegen die Entlassung des Übersetzers hat der Beschuldigte kein Rechtsmittel. Auch gegen die Besetzung des Gerichtes steht keinem der Angeklagten ein Rechtsmittel zu; ein Einspruch gegen die Anklage ist unzulässig.

8

Vor der Fällung des Urteils haben die Angeklagten jedenfalls das Recht der letzten Äußerung. Schweigen sie jedoch noch immer, so hat dies auf das Urteil keinen Einfluß. Mißfallenskundgebungen aus den Häusern während der Beratung des Gerichtes sind nicht zu beachten. Bei ungünstiger Witterung ist das Urteil vom Vorsitzenden in einem verschlossenen Raum zu verkünden; sonst auf dem Dorfplatz. Ist der Vorsitzende durch widrige Umstände verhindert, so hat der Schriftführer das Urteil zu verkünden; es lautet auf den Tod. Konnte die Verkündung wegen des Geschreis der Bewohner nicht gehört werden, so ist sie zu wiederholen; für den Verurteilten, der diese Sprache nicht versteht, ist der Spruch des Gerichtes in seiner Sprache zu verlesen; er kann darauf nicht verzichten. In dem Urteil ist zudem die Reihenfolge der Hinrichtungen zu bestimmen; der Verurteilte aus einem andern Lande ist als letzter hinzurichten. Nach der Verkündung ist Ruhe über den Platz zu gebieten. Die Verurteilten sind zur Vorbereitung auf den Tod abzuführen. Ein Rechtsmittel gegen das Urteil steht ihnen nicht zu; ein von wem immer eingebrachtes Gnadengesuch hat keine aufschiebende Wirkung. Das Gnadengesuch wird abgelehnt.

9

Die Todesstrafe ist in der Regel zwei Stunden nach der Verkündung des Urteils zu vollziehen; nur auf ausdrückliches Bitten des Verurteilten kann ihm noch eine dritte Stunde zu seiner Vorbereitung auf den Tod gestattet werden. Bittet jedoch der Verurteilte um die sofortige Vollziehung der Todesstrafe, so ist diese Bitte von dem Gericht nicht zu beachten.

10

In der Zeit zwischen der Verkündung des Urteils und der Vollstreckung werden die Verurteilten einzeln in den Zimmern eines geeigneten Hauses festgehalten; das Militär wehrt alle Anstürme der Bevölkerung in angemessener Weise ab; Verletzungen sind tunlichst zu vermeiden. Die Verurteilten werden derart verwahrt, daß sie jeweils durch einen Raum voneinander getrennt sind; diese Vorschrift besteht nicht für den Verurteilten aus dem anderen Land, der die Rufe unserer Sprache nicht versteht. Während der Seelsorger von Zelle zu Zelle geht, wird unter Blasen und Trommelschlag auf der Straße des Dorfes die Todeszeit verkündet.

11

Die Hinrichtung wird vollzogen innerhalb des Hofes des Hauses. Die Verurteilten treten einzeln aus der Tür in die Sonne und heben ein wenig die gefesselten Hände; der erste geht langsam über den Hof zur Mauer. Während er sich umdreht, spuckt er aus; daraufhin spucken auch die übrigen Verurteilten aus; der Verurteilte aus dem anderen Lande spuckt nicht; er tritt einen Schritt zur Seite und reibt mit den gefesselten Händen die Nase; sein Hemd flattert aus der Hose; er stopft es vorne langsam hinein; hinten flattert es noch immer. Er gähnt.

12

Ist das Todesurteil an mehreren zu vollstrecken, so ist

Vorsorge zu treffen, daß keiner die Hinrichtung des anderen sehen könne; diese erfolgt beim Militär durch Erschießen, sonst durch den Strang.

13

Die Körper der Hingerichteten sind bei Nacht mit Vermeidung alles Aufsehens an einem besonders dazu bestimmten Ort außerhalb des Dorfes zu begraben; sie können aber der Familie auf ihr Begehren ausgefolgt werden, wenn kein Bedenken dagegen obwaltet. Auch in diesem Falle darf die Beerdigung nur im Stillen und ohne alles Gepränge stattfinden. Solange die Leichen nicht weggeschafft sind, ist niemand zum Orte der Hinrichtung zuzulassen. Ist auch ein Angehöriger eines anderen Landes hingerichtet worden, so haben die Bewohner des Dorfes die Kosten seiner Bestattung zu tragen. Seine Familie ist nach Möglichkeit von seinem Tode zu verständigen; ist aber sein Name und seine Herkunft unbekannt geblieben, so ist danach nicht zu forschen.

14

Nach der Unterdrückung des Aufruhrs gegen die rechtmäßig bestellte Obrigkeit wird das Standrecht aufgehoben.

(1964)

Prüfungsfrage 1

Ein Mann, Vater von vier unmündigen Kindern, gerät, ohne Selbstverschulden, in Not. Von Jugend auf zur Frömmigkeit erzogen, begibt er sich, da er keinen anderen Rat weiß, in ein Gotteshaus und fleht dort, in dem Glauben, nicht ungehört zu bleiben, um Hilfe. Als er, nach beendetem Gebet, sich von den Knien hebt, den Staub von der Hose schlägt und sich zum Gehen wendet, bemerkt er hinter sich, auf dem Teppich, einen größeren Geldbetrag liegen. Sogleich, ohne Bedenken, nimmt er das Geld an sich und verwendet es, indem er Nahrung und Kleider für sich und die Kinder beschafft.

Es wird die Meinung vertreten, daß der Mann des Verbrechens der Fundverheimlichung schuldig sei. Bei der Lösung der Frage ist zu beachten, daß die gefundene Geldsumme die Verbrechensgrenze überstiegen hat. Zudem ist nicht außer acht zu lassen, daß das Delikt an einem geweihten Ort begangen wurde. Zum andern ist der Mann bisher unbescholten.

(1965)

Prüfungsfrage 2

Im Spiel mit einem seiner Kinder, das des Gehens noch unfähig ist, wirft ein Mann dasselbe empor und fängt es. Als er, von der Freude des Kindes am Spiel bewogen, den Vorgang wiederholt, rutscht ihm im Fall das Kind aus der Hand, schlägt auf den Boden auf und ist tot. Der Mann wird wegen fahrlässiger Tötung vor Gericht gestellt. Wie er, vom Richter aufgefordert, den Hergang des Unglücks erzählen soll, nimmt er zur Veranschaulichung seiner Erzählung – und um sich zudem von jeder Schuld reinzuwaschen – seiner gleichfalls im Saal anwesenden Gattin das andere Kind vom Arm, tritt vor und wirft das Kind in die Luft. Das Kind fällt herunter, rutscht dem Mann durch die Hände, schlägt auf dem Boden auf und ist tot.

(1965)

Augenzeugenbericht

Nach dem Bericht des Augenzeugen habe sich das Geschehen folgendermaßen abgespielt: zunächst sei der geistig zurückgebliebene Halbwüchsige mit hängendem Kopf aus dem Anwesen getrottet, dann sei er, in sich hineinmurmelnd, zu der im Hof befindlichen Rübenhackmaschine gegangen, dann sei der Vormund des Schwachkopfs aus dem Anbau gekommen, dann habe der Vormund die Maschine mit Rüben angehäuft, dann habe er dem danebenstehenden Narren, mit der einen Hand das Fallbeil der Maschine anhebend, mit der andern eine Rübe nachschiebend, zuletzt mit dem Fallbeil zuhackend, den Mechanismus der Maschine gewiesen, dann habe der Schwachsinnige genickt, dann habe ihm der Vormund den Griff des Beils in die Finger gedrückt und eine Rübe bis zum Kraut unter die Schneide geschoben, dann habe der Idiot das Fallbeil höher gehoben und mit einem Hieb das Kraut von der Rübe getrennt, dann habe er mit der Rechten den Nacken seines Erziehungsberechtigten umklammert, dann habe er mit einem Ruck den Schädel dieses nach vorne gerissen, dann habe er den Körper des Vormunds waagerecht auf die Rüben gelegt, dann, bei passender Lage, habe er die Faust vom Nacken des Vormunds gelöst, dann habe der Geistesschwache mit einem kurzen Schlag aus dem Gelenk der Linken dem Vormund, eben da dieser, von den Fingern befreit, sich herumwälzt, die Schneide des Beils in die Kehle geschlagen, dann habe er das Beil von neuem gehoben und von neuem geschlagen, dann, als Antwort auf die Wucht des Schlags, seien die Arme des Vormunds aufwärtsgeschnellt, dann habe der Jugendliche die Schneide neuerlich zuschnappen lassen, dann seien die Arme des Vormunds neuerlich aufwärtsgesprungen, dann habe das Mündel zerstreut die Hand gewechselt und mit der rechten geschlagen, dann habe der Bursche wieder die Hand gewechselt und mit der linken geschlagen und dann, nach der Aussage des Augenzeugen allmählich in seinen Bewegungen zu dem Tempo eines Zeitlupenfilms erschlaffend, handwechselnd und wieder handwechselnd, rechterhand und linkerhand, unter geistesabwesendem Murmeln, Kichern und Kopfschütteln, zuzeiten sogar zur Gänze aussetzend und sich die Augen reibend, solange die Schneide in die Gurgel des Vormunds geschlagen, bis er, nach längerem Hin und Her, mit Ach und Krach dem letzteren den Kopf vom Rumpf getrennt hatte, worauf der Augenzeuge, da der Narr immer noch fortfuhr, das Beil zu bewegen, ihm endlich in den Arm fiel und entrüstet Einhalt gebot.

(1965)

Anekdote

In einem Weiler unweit der Siedlung A. ereignete sich vorzeiten ein denkwürdiger Vorfall. Ein ob seiner Vorliebe für Lügengespinste ortsbekannter junger Kerl soll an einem Sonntag, als die Glocken schon allseits zum Gottesdienst riefen, von einem Kreis Neugieriger umringt, auf dem steinernen Kirchplatz stehend eines seiner Ammenmärchen – auf einige aus dem Publikum laut gewordene Zweifel an der Glaubwürdigkeit desselben – mit erhobener Schwurhand und dem Ruf: So wahr, wie ich hier stehe! bekräftigt und dazu mit dem Fuß fest aufgestampft haben; darauf, nachdem er dies gesagt hatte, blieb er auf der Stelle angewachsen stehen und konnte durch keine wie immer geartete Bemühung vom Fleck geschafft werden. Die Sage berichtet, er habe, außerstande, sich auch nur zu setzen, seinen Lebtag unbeweglich stehend an diesem Ort verbringen müssen, eingehegt von einer aus Stangen gefügten Schranke, an die er sich anhielt, immerfort sein Los bejammernd und den Schaulustigen, die aus allen Himmelsrichtungen herbeiströmten, sein Herz ausschüttend, und erst der Tod, nach lebenslänglichem Stehen, habe den Elenden wieder beweglich gemacht, sodaß er zu guter Letzt beiseite gebracht werden konnte. Noch heutigentags zeigt man sich die Vertiefung auf dem betreffenden Kirchplatz, wo durch das lebenslange Verweilen die Füße des Kerls einige Zoll in den Boden einwuchsen.

(1965)

Der Prozeß
(für Franz K.)

Wer hat Josef K. verleumdet?

Jemand mußte Josef K. verleumdet haben, denn ohne
daß er etwas Böses getan hätte, wurde er eines Morgens
verhaftet. Auf sein Läuten betrat statt des Mädchens der
Vermieterin, das ihm das Frühstück aufwarten sollte, ein
Fremder das Zimmer. Nach einem kurzen Wortwechsel,
antwortheischend von seiten K.s, beschwichtigend von
seiten des Fremden, sprang K., sowohl betroffen über das
Ereignis, als auch über das Gehaben des Eindringlings
verärgert, aus dem Bett, warf sich rasch in die Hose und
folgte dem Fremden in den Nebenraum. Hier traf er auf
einen zweiten, der K., bevor dieser die beiden ob ihres
Verhaltens zur Rede stellen konnte, das Wort abschnitt
und ihn für verhaftet erklärte. K.s Verlangen, den Haft-
befehl zu sehen, wurde als widersetzlich abgetan; man
bedeutete ihm, die Behörde, welche die Anordnung zu
seiner Verhaftung getroffen, gehe keineswegs leichtfertig
vor; nicht in der Bevölkerung nach Schuld suchend, sondern von der Schuld gleichsam angezogen, schicke sie,
wie hier, ihre Wächter aus. K. beteuerte seine Unschuld.
Andererseits gab er an, in Unkenntnis zu sein über das
Gesetz, auf Grund dessen er verhaftet sei. Die Wächter,
die sich, während K. unbeholfen im Zimmer stand, in der
Wohnung häuslich einrichteten, indem sie Wäschestücke
des Verhafteten an sich nahmen und sein inzwischen an
die Tür gebrachtes Frühstück verzehrten, wiesen ihn auf
den Widerspruch in seiner Aussage hin; wie könne er be-
haupten, schuldlos zu sein, und mit dem gleichen Atem-

zug zugeben, daß das Gesetz ihm unbekannt sei? Vergebens versuchte K., sich in die Gedanken der Männer ein-
zuschleichen. Nicht nur ungerührt, sondern auch befremdet von seinen Fragen, die ihm selber in Anbetracht
der Vorkommnisse natürlich erschienen, hießen sie ihn,
sein schwarzes Gewand anzulegen, damit er in einer an-
gemessenen Kleidung vor den Aufseher trete. Auf K.s
halb gespielte Entrüstung, die sich in fahrigen Reden und
Schreien äußerte, wurden die Wächter ganz ruhig, ja
traurig, so daß er verwirrt wurde und gewissermaßen zur
Besinnung kam. Schließlich war er geneigt, dies alles für
einen Scherz zu halten. Er beging an diesem Tag seinen
dreißigsten Geburtstag; so war es nicht ausgeschlossen,
daß die Kollegen in der Bank – K. bekleidete dort die
Stelle eines Prokuristen – sich mit ihm einen Spaß erlaub-
ten. In dieser Hoffnung schickte sich K. still in die Anwei-
sungen und verfügte sich in seinem besten schwarzen
Rock in das von einem Fräulein B., einer Kanzleikraft,
gemietete anstoßende Zimmer, in dem hinter dem
Nachttischchen, das als Verhandlungstisch mitten in den
Raum geschoben war, die Beine übereinandergeschla-
gen, der Aufseher saß. Dieser eröffnete K. förmlich, daß
er angeklagt sei und sich der Behörde zur Verfügung halten solle. Von einer Verhaftung im Sinn einer Freiheits-
beschränkung sei vorderhand abgesehen worden; K.
solle in seiner Lebensweise nicht gehindert werden; es sei
ihm gestattet, sich frei zu bewegen und seinem gewohnten Beruf nachzugehen. So verließ K. zugleich mit den
Fremden das Haus. Davor trennten sich die Wege der
Männer; Josef K. begab sich zur Bank; wohin sich die
Fremden begaben, vermochte er durch die Dazwischen-
kunft eines Hindernisses nicht zu erkennen.

Am Abend dieses Tages, der unter angestrengter Arbeit und ehrenden Geburtstagswünschen schnell verlaufen war, kehrte K., in der Absicht, jenes Fräulein B. aufzusuchen, nach Hause zurück. Er wartete bis tief in die Nacht, im Dunkeln in seinem Zimmer auf der Ottomane liegend. Als sie endlich kam, drang er in wenig gehöriger Weise bei ihr ein und bat sie um ein Gespräch. Sie war zunächst eher abgeneigt; sie erklärte, sie sei zum Hinfallen müde; als aber K., in seinem Wunsch, sich auszusprechen, die Rede auf die Untersuchungskommission brachte, die man ihm auf den Leib geschickt habe, gewann er ihre Aufmerksamkeit. Wiewohl sie sich als in Gerichtssachen wenig bewandert erwies, fand K. es angenehm, in ihrer Nähe zu sein. Ihr gegenüber auf der Ottomane sitzend, führte er ihr vor, was ihm widerfahren war. Indessen aber war er ergriffen von dem Anblick des Fräuleins, das, während es zuhörte, das Gesicht in eine Hand stützte und mit der anderen Hand langsam die Hüfte strich. Er wollte Bewegung machen und doch nicht weggehen; in seiner Vergegenwärtigung den Ablauf der Geschehnisse noch einmal erlebend, schrie er sogar und störte die Nachtruhe eines Mieters, der darauf stark und gebieterisch an die Tür des Nebenzimmers klopfte. K. zog das Fräulein mit sich in einen entlegenen Winkel des Zimmers. Schon auf der Ottomane hatte er ihre Stirn geküßt. Nun faßte er sie am Handgelenk, sie duldete es und führte ihn zur Tür. Als hätte er nicht erwartet, eine Tür zu finden, stockte K.; diesen Augenblick benützte das Fräulein, in das Vorzimmer zu schlüpfen. Er folgte ihr nach, lief in der Dunkelheit vor, faßte sie, küßte sie auf den Mund und dann über das ganze Gesicht. Schließlich küßte er sie auf den Hals, wo die Gurgel ist; dort ließ er die Lippen liegen. Sie wußten jedoch nichts miteinander anzufangen. Er wollte das Fräulein beim Taufnamen nennen, aber er wußte ihn nicht. So ließ er es dabei bewenden, ihr, die sich schon abwandte, die Hand zu küssen, und entfernte sich.

Einige Zeit darauf wurde er telephonisch verständigt, es werde am nächsten Sonntag eine kleine Untersuchung in seiner Angelegenheit stattfinden; als Adresse wurde ihm eine Nummer in einer ihm bisher unbekannten Vorstadtstraße gewiesen. Verschlafen von einer Stammtischfeierlichkeit, ohne zu frühstücken, machte sich K. am Sonntag auf den Weg. In der angegebenen Straße stieß er auf das angegebene Haus. Es schien sich in nichts von den andern zu unterscheiden. Im Stiegenhaus herrschte das lebhafte Treiben von Kindern. Aus Scham, vor anderen die Untersuchungskommission zu nennen, verfiel er darauf, einen beliebigen Namen zu wählen und, während er die Stiege hinanstieg, die Parteien des Hauses nach dem Träger dieses Namens zu fragen. Naturgemäß, da es die Person nicht gab, konnte keiner ihm Auskunft geben. So gelangte er bis ins fünfte Stockwerk, in dem er hinter der ersten Tür, nachdem er geklopft hatte, ein junges Weib antraf, welches gerade in einem Kübel Kinderwäsche wusch. Auf seine Frage, von deren Beantwortung sich K. keinen Erfolg versprach, wies indes die Frau sogleich mit dem nassen Finger auf eine offene Tür in einen Saal, in dem dicht gedrängt eine große Anzahl von Männern versammelt war. Als sei die Versammlung nun vollzählig, wurde nach K.s Eintritt die Tür geschlossen. Ein Knabe nahm K. an der Hand und führte ihn nach vorn zu einem Podium, auf dem hinter einem Tisch der Untersuchungsrichter postiert war. Die Tatsache, daß der Richter, nachdem er in einem schmierigen Anmerkbuch geblättert hatte, K. bei der Erkundigung nach dessen persönlichen Verhältnissen für einen Zimmermaler hielt, nahm

K. zum Anlaß, sich dabei an die Menge wendend, die ihm aufmerksam zuhörte, die Art, in der sein Verfahren geführt werde, mit beredten Worten anzuprangern. Verdrossen durch die Unannehmlichkeiten, die die Vorgangsweise der Behörde mit sich brachte, steigerte er sich zu einem gewissen Zorn, der ihn schließlich dazu trieb, das Verhör, dessen Gegenstand hier offensichtlich seine Person war, mit scharfen Bemerkungen abzulehnen, ja sogar, als ein Vorfall an der hinteren Wand des Saals, bei dem jene Wäscherin, die ihm den Weg gewiesen, von einem Manne zunächst im Stehen heftig bestürmt und dann auf dem Boden liegend, überwältigt wurde, die Zuhörer seiner Rede in Zuschauer der Paarung verwandelte, sie sämtlich Lumpen zu nennen und, durch die Reihen drängend, mit dem Ruf, er schenke ihnen alle Verhöre, die Tür zu öffnen und ins Freie zu rennen.

Während der nächsten Tage aber wartete er auf eine Verständigung von dem Verhör. Da er der Meinung war, man hätte seinen Verzicht auf Verhöre nicht wörtlich genommen, nahm er an, er sei stillschweigend zur gleichen Zeit wieder geladen, und brach deshalb auf. Der Tag war jedoch sitzungsfrei, sodaß er in dem Saal niemanden antraf; nur in dem Vorraum fand er wieder die Wäscherin vor, mit der er, fast gegen seinen Willen, da sie ihm schöne Augen machte, in ein Gespräch geriet. Ebenso lief es auch fast seinem Willen zuwider, als er das Weib, nach einigen plumpen Schmeicheleien von ihrer Seite, um Hilfe bat. Er wünschte eine Person seines Vertrauens zu finden; diese Frau, die, wie sich im Verlauf des Gesprächs herausstellte, die Frau des Gerichtsdieners war, konnte sich vielleicht durch ihre Beziehungen zum Gerichtswesen als nützlich erweisen, zumal, wie sie sagte, der Untersuchungsrichter einer von ihren Liebhabern war. Jedoch war K. bei ihr an die falsche geraten; wohl schaffte sie ihm auf sein Geheiß zum Beweis ihrer Zuneigung die Bücher des Untersuchungsrichters herbei, welche K., als er sie aufschlug, mit gemeinen, schamlosen Zeichnungen angefüllt fand, was ihm wieder von der üblen Beschaffenheit des Gerichtes zu zeugen schien; aber gerade, als er auf dem besten Weg war, auf ihr Drängen gemeinsam mit ihr die Flucht zu ergreifen, trat jener Mann ein, mit dem sie es auf dem Boden des Gerichtssaals getrieben hatte, entriß K. die Frau und entführte sie auf den Schultern, wobei sie, entgegen ihren Zusicherungen, der andere sei ihr unwillkommen, nur schwachen Widerstand bot. Mehr aus Neugierde als aus Verlangen folgte ihnen K. über die Stiege, wo er, nachdem er sie aus den Augen gelassen, bei einem mit ungeübter Hand geschriebenen Anschlag verhaltend, einen Hinweis entzifferte, des Inhalts, daß die Stiege zu den Gerichtskanzleien führte. K. schien es der Verlotterung des Gerichts, in dem Unterschleif und sittliche Verwahrlosung auf der Tagesordnung standen, durchaus angemessen, daß dessen Einrichtungen sich auf einem Dachboden befanden. Bevor er sich über sein weiteres Vorgehen schlüssig werden konnte, begegnete ihm ein Mann, der sich auf K.s Frage als der Gerichtsdiener entpuppte. K. nahm dessen Angebot, ihn zu den Kanzleien zu geleiten, an. Er gelangte in einen langen Gang, von dem aus roh gezimmerte Türen zu den einzelnen Abteilungen des Dachbodens führten. Ungefragt unterrichtete ihn der Gerichtsdiener, der hinter K. herging, daß die Personen, welche auf den Bänken zu beiden Seiten des Gangs saßen und sich ehrerbietend und unterwürfig erhoben, die Angeklagten seien. K. wünschte die Örtlichkeit auf dem schnellsten Weg zu verlassen. Es störte ihn, daß er, wie

ein Gefangener, vor dem Gerichtsdiener hergehen mußte. Er wurde benommen. Ein Schwindel ergriff ihn. Ein
Mädchen, das aus einer Tür trat, klärte ihn auf, daß die
Ursache dessen die Sonne sei, die durch das Dach bren-
ne. Ein Mann, der aus derselben Tür trat, machte sich erbötig, K. hinauszuführen. Dieser, kaum mehr fähig, auf
seinen Füßen zu stehen, stimmte zu. Die Kräfte verließen
ihn aber. Er mußte sich setzen. Zu seiner Erfrischung
stieß das Mädchen mit einer Hakenstange eine kleine
Luke auf. Ruß fiel auf den sitzenden K. Das Mädchen zog
die Luke zu und reinigte seine Hände von dem Ruß, da er
außerstande war, dies selbst zu besorgen. Einerseits wäre
er gern sitzen geblieben. Andererseits störte er den Par-
teienverkehr. So stand er, nach manchen vergeblichen
Versuchen, endgültig auf. Der Mann, den das Mädchen
als die Auskunftsperson beschrieb, trat herzu und faßte
K. am Arm; das Mädchen faßte ihn am andern. Trotz seiner Schwäche verstimmte es K., daß von dem Schweiß
und Ruß seine Frisur zerstört war. Er versuchte, seine
Haltung zu bewahren; notgedrungen jedoch demütigte
er sich vor allen durch die Schwäche seines Körpers. Er
war wie seekrank. Als er sich in der Mitte der beiden in
Bewegung setzte, glaubte er, eine andre Person zu sein;
es fuhr ihm durch den Kopf, daß er den beiden ausgelie-
fert sei. Die Gespräche, die sie, während sie ihn schlepp-
ten, neben ihm her führten, blieben ihm unverständlich.
Er schnappte nach Luft. Endlich fand er sich draußen,
von seinen Helfern auf der Stiege zurückgelassen. Er
strich sich mit Hilfe eines Taschenspiegels das Haar zurecht, hob seinen Hut auf, der auf dem nächsten Treppenabsatz lag, und lief dann die Treppe hinunter, so
frisch und in so langen Sprüngen, daß er von diesem Um-
schwung fast Angst bekam.

Wiewohl K. in der nächsten Zeit, abgesehen von kleinen unliebsamen Zwischenfällen, von der Behörde unbehelligt blieb, waren seine Gedanken, dadurch, daß sie immerfort um seine Sache kreisten, gleichwohl von dem Prozeß beansprucht. In dem Glauben, in Zeitnot zu sein, wurde er ungeduldig. Dazu kam eine Müdigkeit, die ihn immer mehr einnahm, so daß seine Arbeit in der Bank, der er sich zuvor mit vollem Eifer gewidmet hatte, zerstreut und nachlässig wurde. In seiner Tatenlosigkeit zerbrach er sich den Kopf, was er unternehmen könnte. Immerhin war das Verfahren seinem beruflichen Fortkommen hinderlich. So war ihm eines Tages, eben als er mit dem Postabschluß sehr beschäftigt war, der Besuch seines Onkels, eines kleinen Grundbesitzers vom Land, nicht ungelegen. Es zeigte sich zudem in einem Gespräch unter vier Augen, daß der Onkel von dem Prozeß, der gegen K. anhängig war, schon Bescheid wußte; mit Worten, aus denen die Angst vor der Schmach sprach, die das Ansehen der ganzen Familie auf das Spiel setzen könnte, beschwor er den Neffen, im Verein mit ihm sogleich einen Rechtsbeistand aufzusuchen. K., gewitzigt durch die Erfahrungen, die er mit dem Gericht bisher gemacht hatte, konnte nicht umhin, ihm beizupflichten. Als die beiden zu dem Advokaten gelangten, der dem Grundbesitzer aus früheren Tagen bekannt war, erwies es sich, aus der Auskunft der jungen Pflegerin, welche den beiden die Tür geöffnet hatte, daß der Anwalt schwer bettlägerig war. Entgegen den Vorstellungen des Mädchens, dem Kranken nicht nahe zu treten, stürmte der Onkel ins Zimmer und stellte sich mit lauter Stimme dem Kranken als dessen alter Freund vor. Der Advokat, der tief vermummt und in Decken gehüllt in dem Bett lag, erwiderte zunächst matt und mit erlöschender Stimme; als aber der

Grundbesitzer, auf K. weisend, der hinter ihm stand, sein Anliegen vorbrachte, war er sogleich wie ausgewechselt; er richtete sich auf und begrüßte K. lebhaft; die Pflegerin, von der K. immerzu von der Seite angestarrt worden war, hieß er, den Raum zu verlassen. Zu K.s Überraschung zeigte er sich von dem Prozeß bereits unterrichtet. Er erklärte mit einem gewissen Stolz, während er immer wieder an einem Bartstrahn in der Mitte seines Bartes zog, er habe die Ehre, des öfteren in Gerichtskreisen zu verkehren; wie es der Zufall treffe, habe er heute sogar einen lieben Gast, einen Kanzleidirektor, zu Besuch, der sich in K.s Sache als nützlich erweisen könnte. Er wies bei seinen Worten in einen dunklen Winkel des Zimmers, wo sich darauf, bisher unbemerkt, von einem Lehnstuhl ein Herr erhob. Nachdem der im Bett sitzende Advokat die Herren miteinander bekanntgemacht hatte, erklärte sich der Kanzleidirektor, obzwar er, da die Geschäfte ihn riefen, wenig Zeit hätte, gern zu einer kurzen Aussprache bereit. Es geschah nun K., daß er, angewidert durch das kreuzbuckelnde Gehabe des Onkels, der den Herren gegenüber eifrig Süßholz raspelte, und unbeteiligt an dem Gespräch, das nun in Schwung kam, in die eignen Gedanken versank und an die Pflegerin dachte. Ein Lärm aus dem Vorzimmer, wie von zerbrochenem Porzellan, ließ ihn aufhorchen. Unter dem Vorwand, nach dem Rechten sehen zu wollen, ging er hinaus, langsam, als wollte er der Gesellschaft Gelegenheit geben, ihn aufzuhalten. Kaum war er draußen im Dunkeln, nahm ihn die Pflegerin an der Hand und führte ihn mit sich in ein Zimmer. Sie nötigte ihn, sich auf eine Truhe zu setzen. Sie setzte sich zu ihm. Als er sich an das Dunkel gewöhnt hatte, vergaß er alles und hatte nur noch Augen für die Pflegerin. Er umfaßte das Mädchen, das Leni hieß, und zog sie an sich, sie

lehnte sich still an seine Schulter. In einem kurzen Zwie-
gespräch, das Gericht betreffend, riet sie ihm, ein Geständnis abzulegen. Je mehr sie über seine Sache und das
Gerichtswesen sprach, desto mehr drängte sie sich an ihn.
Er hob sie auf seinen Schoß. So sei es gut, sagte sie und
richtete sich auf seinem Schoß ein, indem sie den Rock
glättete und die Bluse zurechtzog. Wieder gerieten sie in
eine Wechselrede. K. zeigte ihr ein Bild der Person, mit
der er sich manchesmal abgab. Die Pflegerin, welche
diese zu stark geschnürt fand, zeigte darauf K. ihre rechte
Hand, an der zwischen zwei Fingern das Verbindungs-
häutchen fast bis zum obersten Gelenk des kleinen Fingers reichte. K. merkte im Dunkeln nicht gleich, was sie
ihm zeigen wollte; so reichte sie ihm die Hand, damit er
sie abtaste; verwundert spreizte er die Finger eins ums
andere Mal. In Verfolg dessen kam es schließlich zum
Austausch von heftigen Zärtlichkeiten; sie zog ihn mit
sich auf den Boden hinab, wo er sich mit ihr einließ. Er
glaubte, sie wollte ihn auffressen. Er wußte dann nicht,
wieviel Zeit schon vergangen war, als er, aus dem Haustor tretend, davor im Regen seinen Onkel antraf, der ihm
heftige Vorwürfe machte, da die Gerichtsperson sich
schon lange verabschiedet habe, sodaß die Dinge in seiner Sache, die doch heute einen günstigen Verlauf nehmen konnten, durch die Fahrlässigkeit und Trödelei K.s
immer noch unverrichtet seien, vielleicht sich sogar zum
Schlechteren neigten.

In der Tat schien es selbst K., der die Dinge sonst nie
schwer genommen hatte, als stünde es schlecht um ihn.
Im Lauf der nächsten Zeit saß er oft, mit den Gedanken
abwesend, im Büro und stellte Überlegungen an. Ein
Bild zeigt ihn, wie er, den Kopf zwischen die Hände
schwer auf den großen leeren Tisch gelegt, mit von sich

106

gestreckten Beinen gleichsam abgeknickt dasitzt und grübelt. Es ist auch von einer Müdigkeit die Rede, die immer mehr von ihm Besitz ergriff. Er mußte sich sagen, daß er nicht mehr er selber sei. Andere Kräfte nahmen dreist seine Arbeit in die Hand, während er untätig, darauf bedacht, daß seine Schmach noch geheim blieb, sich mit unnützen Gedanken die Zeit verscheuchte. Was konnte er unternehmen? Waren ihm Möglichkeiten zum Handeln gegeben? Aus der Auskunft seines Rechtsbeistands zu schließen, der noch immer an seiner ersten Eingabe arbeitete, war es unmöglich, über die künftigen Geschehnisse in diesem Verfahren Voraussagen anzustellen. Es gab keine Grundsätze; jene aus dem üblichen Gerichtswesen waren hier außer Kraft gesetzt. Das Verfahren wurde geheimgehalten, nicht nur vor der Öffentlichkeit, sondern auch vor dem Angeklagten selber. Die unteren Instanzen wußten nichts von den etwaigen oberen. Nicht von rechts wegen, dünkte es K., ging man hier vor, sondern nach Willkür. Von einem Gerichtsmaler, den er auf eine Empfehlung hin aufsuchte, erfuhr er, wirkliche Freisprüche seien nur in alten Berichten erwähnt, die hinsichtlich ihres Wahrheitsgehalts aber nur Charakter von Sagen hätten. Auf Fürsprache könne er erreichen, daß er, von einer unteren Instanz, scheinbar freigesprochen werde; indes könne es dem scheinbar Freigesprochenen gerade so gut ergehen, daß er, kaum nach dem Freispruch nach Hause zurückkehrt, von neuem verhaftet werde; die andere Möglichkeit, die K. offen stehe, sei es, mit Hilfe von öfterer Anwesenheit bei Gericht, von häufigen Eingaben, von Bestechungen und Anstiftungen den zu solchen Händeln beliebig bereiten unteren Instanzen gegenüber, den Prozeß zu verschleppen, sodaß derselbe sozusagen auf der Stelle trete. All dies aber, so erkannte K. richtig, verhinderte im Grund einen wirklichen Freispruch. Er wollte sich mit dieser Unsicherheit nicht zufrieden geben. Es verdroß ihn, daß ihn der Advokat mit der Eingabe von einem Tag zum andern vertröstete; so oft dieser des langen und breiten die guten Seiten seiner Vorgangsweise erörterte, schlug K. vor Verdruß und Müdigkeit das Herz bis zum Hals; eine Beklemmung umfaßte ihn; wiewohl ihm die Nähe der Pflegerin behagte, erwog er, dem Advokaten seine Sache zu entziehen und auf eigene Faust einen endgültigen Spruch zu erwirken. Er wollte die Sache biegen oder brechen. Er hielt es nicht aus, mundtot zu sein. Er fand, daß seine Verteidigung nicht in den besten Händen war; er war überzeugt, der andre verstünde seine Sache nicht. So, wie es jetzt stand, war K. gleichsam sich selber im Wege. Die vertrauliche Mitteilung eines Angeklagten, den K. eines Tages im Hause des Advokaten antraf, darüber, daß er, neben dem Anwalt, zu seiner Verteidigung noch fünf Winkeladvokaten angeworben habe, ja, schon mit einem sechsten in Verhandlungen stehe, bestärkte K. in seiner Geringschätzung von dem Wert eines Rechtsbeistandes. Er hielt alle Vorgänge bei Gericht für ein zwielichtiges, abgekartetes Spiel. Er dachte nicht daran, ruhig seinen Kopf hinzuhalten. In Zeiten großer Müdigkeit aber, wenn er, halb über den Tisch geworfen, in seinem Büro saß, wurde ihm klar, daß er das Gericht nicht mißachten konnte. In seinem Selbstgespräch wurde er redselig vor Müdigkeit. Mit einem vorgetäuschten Zorn versuchte er seine zunehmende Schwäche zu bemänteln. Er entsann sich, daß alle Fragen, die er bezüglich seiner Sache gestellt hatte, nur Staunen über seine Unerfahrenheit bewirkten. Es kam ihm vor, als hätte er die Vorgänge in seiner Sache im Gegensatz zu den andern nie zu durchschauen vermocht. Jedesmal, wenn er fragte, war es, als fragte er Ungehöriges. Seine Fragen schienen den anderen tölpelhaft und weltfremd zu sein. Es fiel ihm auf, daß er, wenn es darauf ankam, nie bei der Sache war. Jedesmal lenkte etwas ihn ab und verstörte ihn. Im Verkehr mit der Behörde glaubte er, es sei mit vernünftigen Reden getan. Obgleich er zu Beginn keinen Trost nötig hatte, wurde er von vielen Seiten mit Worten und Gesten des Trostes behandelt, sodaß er allmählich nicht ohne ihn auskam. Er war nicht mehr seelenruhig. Die Müdigkeit, die ihn umfing, machte ihn von außen zwar starr, jedoch von innen her höhlte sie ihn. Erfolglos trug er sich mit dem Gedanken, einen Arzt aufzusuchen. An dem besagten Tag war es daran, daß er, unter Zurücklassung einer Nachricht, er müsse zu einer Verabredung, den Advokaten aufsuchte und ihm, im Dabeisein der Pflegerin und des erwähnten anderen Angeklagten, mit kurzen Worten seinen Prozeß aufsagte.

Es fanden keine Verhöre mehr statt. Er sah ein, daß es um seine Sache übel bestellt war. Stundenlang zermarterte er sich das Gehirn nach einem Ausweg. Um sein Leben zu fristen, behielt er umständehalber seine Beschäftigung bei. Wie sollte er es bewerkstelligen, daß er in das Verfahren eingreifen könnte? Die Zähne aufeinanderzubeißen, fand er lächerlich. Wer weiß, wie lange er oft saß in seinem Büro, den Kopf auf den flachen Händen auf dem leeren Tisch, während die Parteien, die um Geschäftsverbindungen mit der Bank einkamen, vergebens auf Einlaß wartend in seinem Vorzimmer saßen. Er hatte mit dem Gericht angebunden, nun würde er die Folgen zu tragen haben. Den Gedanken an Flucht schlug er sich aus dem Kopf; aus der Stadt zu gehen, wäre ein Gehen im Kreis; er hatte erfahren, daß die Machtvollkommenheit des Gerichtswesens mit seinen Einrichtungen nicht auf einen Ort beschränkt war. Oft gestand er sich dem gegenüber ein, daß seine Lage es ihm angetan hatte. Von anderen Angeklagten war ihm gesagt worden, er hätte einen Zug um den Mund, der auf eine baldige Verurteilung schließen lasse. Das belustigte K. Schließlich war er sogar neugierig.

Ein Erlebnis im Dom, in welchem er einem ausländischen Geschäftsfreund im Auftrag des Direktors der Bank die Kunstschätze zeigen sollte, bestärkte K. in seinen schweren Gedanken. Als er nämlich nach langem, vergeblichem Warten auf den Besucher, den düsteren Schiffen der Kirche soeben enteilen wollte, ließ eine Stimme ihn stocken und stehen bleiben, die seinen Namen rief. Josef K. sah vor sich auf den Boden. Es gab keine Ausflüchte mehr, es war sein Name. Vorläufig war er noch frei, er konnte weitergehen und durch eine der kleinen, dunklen Holztüren, die nicht weit von ihm waren, sich davonmachen. Es würde eben bedeuten, daß er nicht verstanden hatte, oder, daß er zwar verstanden hatte, sich aber nicht darum kümmern wollte. Hätte der Geistliche, denn ein solcher war es, noch einmal gerufen, wäre K. gewiß fortgegangen; da es aber still blieb, wendete er den Kopf und sah den Mann dort still auf der Kanzel stehen. So machte er kehrt und lief mit langen, fliegenden Schritten, von Neugierde getrieben, der Kanzel entgegen. Der Geistliche wies mit einem Finger scharf auf einen Platz dicht unter der Kanzel. Du bist Josef K., sagte er. K., dem sein Name seit einiger Zeit eine Last war, bejahte. Du bist angeklagt, sagte der Geistliche besonders leise. K. bestätigte. Sein Prozeß stehe schlecht, bemerkte der Geistliche, er werde über ein niedriges Gericht vielleicht nicht hinauskommen. So ist es also, sagte

K. und senkte den Kopf. Dann aber gebärdete er sich wieder wortreich und schwätzte seine üblichen sorglosen Reden. Siehst du denn nicht zwei Schritte weit? schrie der Geistliche plötzlich zu K. hinunter. Darauf schwiegen beide lange. Auf K.s leise Aufforderung stieg der Geistliche nun von der Kanzel. Während sie gemeinsam aus dem Gotteshaus schritten, trug der Geistliche K. das bekannte Gleichnis von dem Mann vor, der, vom Land vor das Gesetz gekommen, auf seine Bitten von dem Wächter vor dem Einlaß des Gesetzes nicht eingelassen wird, jedoch, als es nach einem lebenslangen Warten vor dem Gesetz mit ihm ans Sterben kommt, von dem Wächter erfahren muß, daß dieser Einlaß nur für ihn bestimmt war. Die Erzählung nahm K. sehr gefangen; er wollte sie ausgelegt wissen; der Geistliche trug ihm zuletzt die verschiedenen Auslegungen vor, erklärte aber, diese seien oft nur ein Ausdruck der Verzweiflung der Schrift gegenüber, die selber unverständlich sei.

Am Vorabend seines einunddreißigsten Geburtstags – es war gegen neun Uhr abends, die Zeit der Stille auf den Straßen – wurde K. von zwei schwarz gekleideten Herren in seiner Wohnung abgeholt, K., ebenfalls schwarz gekleidet, gestand sich ein, einen anderen Besuch erwartet zu haben. Er leistete indes keinen Widerstand. Nachdem er seinen Hut geholt hatte, ging er, bestrebt, kein Aufsehen zu erregen, mit den Herren aus der Wohnung. Auf der Straße hängten sie sich in ihn ein, in einer Weise, wie K. noch niemals mit einem Menschen gegangen war. Er nahm sich vor, bis zum Ende den ruhig einteilenden Verstand zu behalten, der ihm auch zu seiner verhältnismäßig hohen Stellung verholfen hatte. Sie führten ihn schnell aus der Stadt. Es lag ihm nichts mehr an einem

Eingreifen von dritter Seite. Als einmal ein Polizist an die Gruppe herantrat, war K. es, der die stockenden Männer weiterzog. In einem kleinen, verlassenen Steinbruch außerhalb der Stadt machten sie halt, sei es, daß dieser Ort von allem Anfang an ihr Ziel gewesen, sei es, daß die Herren zu erschöpft waren, noch weiter zu laufen. Sie ließen K. los. Nach dem Austausch einiger Höflichkeiten hinsichtlich dessen, wer die nächsten Aufgaben auszuführen habe – die Herren schienen die Aufträge ungeteilt bekommen zu haben –, ging der eine zu K. und zog ihm den Rock, die Weste und schließlich das Hemd aus. K. fröstelte unwillkürlich, worauf ihm der Herr einen leichten, beruhigenden Schlag auf den Rücken gab. Dann legte er die Sachen sorgfältig zusammen, wie Dinge, die man noch gebrauchen wird, wenn auch nicht in allernächster Zeit. Die Herren setzten K. auf die Erde nieder, lehnten ihn an einen Stein und betteten seinen Kopf obenauf. Schließlich entnahm ein Herr seinem Gehrock ein langes, dünnes, beiderseitig geschärftes Fleischmesser, hielt es hoch und prüfte die Schärfe im Mondlicht. Höflich reichten die beiden einander das Messer über K. hinweg und wiederholten wieder und wieder diese Gebärde, in der Hoffnung, K. werde zugreifen und ihnen die Arbeit abnehmen. K. dachte jedoch nicht daran. Es erschien ihm wie eine Rechtfertigung, daß er sie gewähren ließ. Viele Fragen stürmten noch auf ihn ein. Die Zeit schien ihm still zu stehen.

Er hob die Hände und spreizte alle Finger.

Aber an K.s Gurgel legten sich die Hände des einen Herrn, während der andere das Messer ihm tief ins Herz stieß und zweimal dort drehte. Mit brechenden Augen sah noch K., wie die Herren, nahe vor seinem Gesicht, Wange an Wange aneinandergelehnt, die Entscheidung

beobachteten. Wie ein Hund! sagte er, es war, als sollte
die Scham ihn überleben.

(1965)

Lebensbeschreibung

Was nützt es dem Menschen,
wenn er an der Seele gewinnt,
an der Welt aber Schaden leidet?

Gott erblickte das Licht der Welt in der Nacht vom vier-
undzwanzigsten zum fünfundzwanzigsten Dezember.

Die Mutter Gottes wickelte Gott in Windeln. Auf einem
Esel flüchtete er sodann nach Ägypten. Als seine Taten
verjährt waren, kehrte er in sein Geburtsland zurück,
weil er fand, daß dort der Ort sei, an welchem ein jeder
am besten gedeihen könnte. Er wuchs auf im stillen und
nahm zu an Alter und Wohlgefallen. Es litt ihn in der
Welt. Er wurde die Freude seiner Eltern, die alles daran-
setzten, aus ihm einen ordentlichen Menschen zu machen.

So erlernte er nach einer kurzen Schulzeit das Zimmer-
mannshandwerk. Dann, als seine Zeit gekommen war,
legte er, sehr zum Verdruß seines Vaters, die Hände in
den Schoß.

Er trat aus der Verborgenheit. Es hielt ihn nicht mehr in
Nazareth. Er brach auf und verkündete, daß das Reich
Gottes nahe sei.

Er wirkte auch Wunder.

Er sorgte für Unterhaltung bei Hochzeiten. Er trieb
Teufel aus. Einen Schweinezüchter brachte er auf solche
Art um sein Eigentum. In Jerusalem verhinderte er eines
Tages im Tempel den geregelten Geldverkehr. Ohne das
Versammlungsverbot zu beachten, sprach er oft unter
freiem Himmel. Aus der Langeweile der Massen gewann
er einigen Zulauf. Indes predigte er meist tauben Ohren.

Wie später die Anklage sagte, versuchte er das Volk gegen die Obrigkeit aufzuwiegeln, indem er ihm vorspiegelte, er sei der ersehnte Erlöser. Andererseits war Gott kein Unmensch. Er tat keiner Fliege etwas zuleide. Niemandem vermochte er auch nur ein Haar zu krümmen.

Er war nicht menschenscheu. Unbeschadet seines ein wenig großsprecherischen Wesens war er im Grunde harmlos.

Immerhin hielten einige Gott für besser als gar nichts. Die meisten jedoch erachteten ihn für so gut wie nichts.

Deshalb wurde ihm ein kurzer Prozeß gemacht. Er hatte zu seiner Verteidigung wenig vorzubringen. Wenn er sprach, sprach er nicht zur Sache. Im übrigen blieb er bei seiner Aussage, daß er der sei, der er sei. Meist aber schwieg er.

Am Karfreitag des Jahres dreißig oder neununddreißig nach der Zeitwende wurde er, in einem nicht ganz einwandfreien Verfahren, ans Kreuz gehenkt.

Er sagte noch sieben Worte.

Um drei Uhr am Nachmittag, bei sonnigem Wetter, gab er den Geist auf.

Zur gleichen Zeit wurde in Jerusalem ein Erdbeben von mittlerer Stärke verzeichnet. Es ereigneten sich geringe Sachschäden.

(1965)

Traum von der Leere der Flüssigkeit

1

Der Anfang die Unsicherheit der über die Straße geht. Sie schlägt die Hände auf so große Augen. Ihr Bein ist anders. Wie Schnee ist es wenn ich gehe. Zu jeder Fußstapfe gehört jemand der es ernst damit meint. Der Regen ist ein Strich und noch ein Strich und etwas auf dem warmen Papier. Das Wort Ich! Bis auf das Weiße ihrer Seele kann ich schauen. Dort wo es brennt steht ein Trabant. Lauthals schlägt sie die Arme über mir zusammen. Zur Kühle müßte jemand anderer kommen. Kein Strohhalm weit und breit. Immer dieses Gurgeln im Haus! Geh schon du Tropf. Es ist jedesmal dieselbe Limonade die ich meine. Das halbe Leben ist eine Umkehrung des Feuers. Die Hochebene und ein ganz leerer Tisch. Wie viele sterben in Ungereimtheiten? Mit einem Echolot ist es dort nicht mehr so arg wie am Anfang.

2

Wirds bald? Ich ist ein freier Mann oder Ding mit einer Masse irgendwo. Niemand geht links oder rechts. Verkehrt man nicht mehr so ausdrücklich? Ja es ist heiß und kalt wenn man so viel nachdenkt und nie richtig zum Fortgehen kommt. Ich sehe nichts was mein ist außer grau. Nur die Luft ragt noch aus dem Gebäude. Nicht unappetitlich! Aus dem Gedächtnis überbrücke ich einige Zeit im Stehen. Inwiefern kann man diesen Tropfen zum Beispiel einen Stein nennen und umgekehrt? Sollte man wieder die Wangen zum Kork aufblasen? Wasser über Wasser! Es ist solch ein Ding der Ruhe. Typisch! Nichts kann schiefgehen wenn ich mir vorschriftsgemäß die Nase zudrücke und alles niederfällt. Diese Wand ist keine Aussage. Die Buchstaben sind so müde wie man es uns vorausgesagt hat. Es ist ein Saugen oder Zerren welches oder die zum Tode führt.

3

Lebendig ist gelb oder nicht. Nur nicht zahm werden! Zuhalten! Wieder ist dieser Ich am Zug! Ertrinken so waagerecht wie möglich damit alles herauskommt. Nichts darf schnappen. Die Straße ja wenn sie über die Ufer tritt. Wo ist denn der Schrei stehengeblieben? Die Luft ist hohl wenn ich das Ohr darüber neige. Dieses Johlen im leeren obersten Stockwerk! Man sagt doch von altersher in diesem Augenblick ziehe das Leben wie eine Klippe an einem vorbei ohne daß man irgendwie sonderlich sterbe. Geschweige denn ein Haken! Bambusvogel der über die dunkle Straße huscht von dem er niemals wiederkehrt. Ein Frosch oder Amphibienfahrzeug könnte jetzt eine Milch zu Butter machen und auch Wasser in Salz. Ich persönlich gehe mit dem Gesicht nach oben bei schauerartiger Nacht. Die Luft steht auf rot wie damals am August im Kalender. Es war eine Zeit wie Balken aus Strohhalmen! Jetzt kann mir das Wasser wenn ich gehe auf den Mund schauen. Die Geborgenheit steigt mir bis zum Hals hinaus. Zupacken!

(1966)

Der Einbruch eines Holzfällers
in eine friedliche Familie

Damals stapfte ich mit den Stiefeln eines Holzfällers, der im gleichen Augenblick an die Tür schlug, durch den Schnee. Der Holzfäller, so lebendig geschildert, daß ich ihn leibhaftig vor mir zu sehen glaubte, schien über den Schrei, der ihn, bevor er noch den Ast ganz vom Stamm gehackt hatte, aus dem Wald lockte, in dem er sich gewöhnlich tagsüber unter seinesgleichen aufhielt – wie man einander hinter vorgehaltenen Händen erzählte –, wenn er nicht gerade am Waldrand, über dampfenden Schüsseln gebeugt, die ihm seine Dienstherren herbeischaffen zu lassen pflegten, die fünf oder mehr Mahlzeiten abhielt, die ihm seinem Beruf nach zustanden, erzürnt zu sein. Mit einigen Beilhieben, einer heftiger als der andre, stand er, die Augenbrauen mit Rauhreif bedeckt, gefrorenen Rotz in den Nasenlöchern, die bei Holzfällern, so erzählten mir meine Eltern, in der Regel, wenn auch nicht immer, größer sind als bei anderen Werktätigen, die ihr Leben weniger in der freien Natur verbringen, wo sich gewöhnlich die Nüstern blähen, wodurch auch der Brustkorb kräftiger wird, welcher sich auch bei diesem Holzfäller rasselnd hob und senkte, mitten im Zimmer, in dem einige Leute ihren alltäglichen Beschäftigungen nachgingen, die es mit sich brachten, daß so mancher Blick sich verdrossen auf den Eindringling richtete, der, nachdem er nun schon mit der Axt die Tür eingeschlagen hatte, was er später, als er sich verantworten sollte, als seine Art des Klopfens bezeichnete, diese Axt zu allem Überfluß auch noch nach meiner Großmutter warf und ihr, die als einzige den Neuankömmling auch hatte willkommen heißen wollen und sich zu diesem Zweck von ihrem Lager, das sich neben dem Kachelofen befand, sogleich aufgerichtet hatte, weil sie die Gelegenheit nützen wollte, endlich wieder einmal mit einem vernünftigen Menschen zu sprechen, seitdem ihre Angehörigen es vermieden, mit ihr Gedanken auszutauschen, den Schädel, ich kann es nicht anders bezeichnen, zerschmetterte.

Ich, der ich als einziges Familienmitglied nicht dabei war, weil ich draußen im Flur die Stiefel des Holzfällers betrachtete, die dieser, als er unser Haus betrat, mit Hilfe des hölzernen Stiefelknechts, den jeder Fremde auf Bitten meines Vaters verwenden sollte, weil gerade im ganzen Haus in Anbetracht der bevorstehenden Festtage, zu denen sich gewöhnlich alle Familienmitglieder, wo auch immer sie das Leben hingestellt haben mochte, in ihrem Geburtshaus einfanden, die Böden gewaschen und frisch eingelassen worden waren, folgsam abgestreift hatte, hörte draußen im Flur, wie drinnen im Zimmer schallendes Gelächter von Frauen erklang, das sich aber später, als sich im Haus, das unglücklicherweise vom Waldrand aus die nächstgelegene Wohnstätte war – weshalb unglücklicherweise, wird sich gleich herausstellen –, alles beruhigt hatte, als das Schallen der kräftigen Ohrfeigen entpuppte, die mein Vater, im ersten Schrecken nicht so sehr über den Tod als vielmehr über das Aussehen der toten Großmutter (seiner Schwiegermutter), dem Holzfäller versetzte, dessen starr im Flur stehende, eisverkrustete Stiefel mir, der ich in Gedanken versunken, ganz mit meinen eigenen Problemen und Sorgen beschäftigt – ich sollte nach den Festtagen zum ersten Mal das Elternhaus verlassen, um in der weit entfernten Kreisstadt eine höhere Schule zu besuchen, weil mein Vater der Ansicht war, seine Kinder sollten es einmal besser haben als er, der nie über das Nachbardorf, in dem er bei einer Festlichkeit meine Mutter (oft erzählte er schmunzelnd davon) kennengelernt hatte, hinausgekommen war und für den die Welt dort endete, wo sie für mich anfangen sollte – zunächst das Schallen eines Gelächters vortäuschten.

Aber mein Vater, zu dem ich immer aufgeschaut hatte, seitdem ich auf die Welt gekommen war, soweit ich mich erinnere, ein hochgewachsener kräftiger Mann, der nach den einfachen Dingen des Lebens, nach Holz, Schweiß und Urin roch, hatte nicht damit gerechnet, daß der Holzfäller, einmal gereizt, wie alle Holzfäller, die, nachdem sie lange im Schnee, der in unseren Wäldern zuweilen hüfthoch liegt, mit ihren widerspenstigen Pferden die gefällten Stämme aus dem Wald geschafft haben, immer wieder in Schneelöcher einbrechend, über im Schnee verstecktes Unterholz stolpernd, sich in Wurzeln verfangend, auf die ausgleitenden, zur Seite rollenden, sich aufbäumenden, vergeblich wieder und wieder die schweren Hölzer anruckenden, schließlich schreienden Pferde einbrüllend, manchmal auch mit dem umgekehrten Ende des Beils auf sie einschlagend, durch den langen Aufenthalt im Schnee und unter Bäumen, von denen ununterbrochen noch mehr Schnee auf sie fällt, mit nichts beschäftigt als mit dem Versuch, die Beine wieder aus dem Schnee zu heben und sich weiterzubewegen, ihrer selber schon so sehr entwöhnt sind, daß sie, wenn sie schon einmal sprechen, was bei den Schwierigkeiten, die die Kälte draußen im Wald den Lippen bereitet, ohnedies kaum der Fall ist, von sich selber nur in der dritten Person sprechen, sich selber nicht mehr kennen würde, sondern blindlings, da zudem, wie später Kenner der menschlichen Seele erklärten, hier in einem bewohnten Raum das Zerstören, das so lange Zeit zurückgehalten, besser gesagt, angestaut worden war, ihm viel leichter wurde als draußen in der freien Natur, die durch ihre Widerstände zum Zerstören zwar geradezu auffordert, aber so sehr an den Kräften der Holzfäller zehrt, daß sie diese gerade nur zum Überleben aufbrauchen, zuschlagen würde, wo sich ihm die Gelegenheit bot, seine Zerstörungswut endlich auszulassen.

Als der Holzfäller nun den Vater an der Kehle packte und ihm im Handumdrehen den Hals brach, bestand die Gesellschaft, die sich im Raum befand, aus einem Onkel väterlicherseits von mir, der eine Gemischtwarenhandlung besaß, die mein Bruder, ebenfalls anwesend und mit seiner Briefmarkensammlung beschäftigt, später, wenn er volljährig sein würde, übernehmen sollte, wozu es dann durch die folgenden Ereignisse nicht mehr kam, meiner Mutter, einer ehemaligen Zigeunerin, einer sehr lebenslustigen Frau – ich sehe sie noch vor mir, wie sie sich das Ohrgehänge anlegt, das aus dem Erbschatz ihrer Sippe stammte – dazu der Geliebten meines Onkels, die darunter litt, daß sie ihm keinen Erben schenken konnte – als der Holzfäller einbrach, las sie gerade meiner Schwester, die zu den Festtagen aus der Stadt, in der sie schon seit einiger Zeit eine höhere Schule für Frauen besuchte und auch gute Fortschritte machte, herbeigereist war, immer noch das unverdorbene, rotwangige Geschöpf von früher mit den gesunden Ansichten, worüber sich mein Vater sehr freute, aus einer Illustrierten (auf das Bitten meiner Mutter hatte der Vater eine dieser geistlosen Zeitschriften abonniert) einen Abschnitt aus einem Fortsetzungsroman vor – sowie aus meinem jüngsten Bruder, der, noch zu klein, einen Sinn in den Vorgängen zu endeckten, nur immer lauthals schrie – er war es wohl auch gewesen, der den Holzfäller aus dem Wald herbeigelockt hatte, indem er schon seit dem Morgen schrie, was meine Mutter, erklärlich aus ihrem leicht entflammbaren Temperament, veranlaßte, ihn nur brüllen zu lassen, weil er davon eine kräftige Stimme bekommen würde – und nichts von dem Holzfäller wußte, der, nachdem er inzwischen schon alle anderen zum Schweigen gebracht hatte – was ich draußen noch immer für das unanständig laute schallende Auflachen der Frauen hielt –, darunter auch meine blödsinnige Tante, eine Schwester meiner Mutter, die von meiner angetrunkenen Großmutter, als sie noch ein Kleinkind war und eines Nachts ihre Mutter und deren damaligen Liebhaber mit ihrem Krabbeln und Weinen im Schlaf nicht ihr Vergnügen finden ließ, auf die noch heiße Herdplatte gesetzt wurde, die in dem Kind einen derartigen Schrecken bewirkte, daß dieses für immer blödsinnig wurde, was meine Großmutter so rechtfertigte, indem sie sagte, daß das Kind wenigstens nichts von dem Leid der Welt erleben müßte, auf meinen kleinen Bruder, der mit abgewandtem Gesicht schreiend im Schmollwinkel stand – auch ich habe mich, als ich kleiner war, öfter dorthin zurückgezogen – zuging und mit der gleichen Axt, mit der er auch schon meine anderen Familienangehörigen ausgerottet hatte, auch meinen kleinen Bruder erschlug, der zum Glück wohl wie meine Tante nichts davon wußte, daß er starb, während ich, der ich inzwischen in die Stiefel geschlüpft war, die mir nach der Länge und Höhe viel zu groß waren, und mit ihnen draußen im Hof umhertorkelte, wehmütig alle Dinge noch einmal ins Auge faßte, die mein Zuhause bedeuteten und die ich jetzt wohl für längere Zeit nicht mehr sehen sollte: das Scheunentor, das entsetzlich weit offenstand und an dem ich gemeinsam mit meinem Vater gezimmert hatte, den Stall, für dessen Mauern ich gemeinsam mit meinem Bruder den Beton gemischt hatte, überhaupt das ganze stattliche Anwesen, das unsere Familie aus dem Nichts aufgebaut hatte und das unser aller Stolz war, und dabei nur mit halbem Ohr bemerkte, daß drinnen das Geplärre meines Bruders und das unanständig schallende Gelächter – ich bedachte, daß die stillen Festtage immer näher rückten – endlich aufgehört hatten.

Einige Zeit darauf – obwohl die Sonne schien, hatte es doch wieder zu schneien angefangen, und ich freute mich bei dem Gedanken, daß wir weiße Festtage erleben würden – schrak ich, während ich gerade um die Holzhütte schlürfte – wegen der Größe der Stiefel konnte ich die Beine nicht richtig heben – auf, denn der Holzfäller, der inzwischen, wie mir erst im nachhinein auffiel, auch im Stall und in der Scheune gewesen war – daher rührte das weit offene Scheunentor – und hier und dort, was er an lebenden Wesen fand – im Stall einige Kühe, das gerade geborene Kalb, das ich, weil ich bei seiner Geburt beistand, hatte taufen dürfen und dessen künftiger Verkaufserlös dem Sparkonto, das der Vater für mich vorsorglich angelegt hatte, gutgeschrieben werden sollte, damit mein Vorwärtskommen im Leben nicht durch eine Änderung der Wirtschaftslage in Frage gestellt würde (wie jeder Bauer machte sich mein Vater Sorgen um die Zukunft), worauf ich ihm auch versprochen hatte, alles daran zu setzen, der Familie, die sich meinetwegen solche Opfer auferlegte, auch keine Schande zu bereiten, weil dadurch, wie mein Vater erklärte, für ihn eine Welt einstürzen würde, sowie die zwei Pferde, deren schreckliches Schreien mir eigentlich, während ich traumverloren in den zu weiten Stiefeln im Schnee umhertaumelte, hätte auffallen müssen, sowie alle unsere Schweine, auf deren Zucht mein Vater so stolz war, darunter eine trächtige Sau, und in der Scheune die Hühner, die dort, wie sie es gewohnt waren, nach Körnern pickten – kaltblütig auf verschiedene Arten, durch Beilhiebe, Erwürgen, Fußtritte getötet hatte, stand plötzlich, noch dazu in Socken, vor mir, nachdem er lautlos über den Hof herbeigekommen war und schaute mich, obwohl er nichts Auffälliges an mir sehen konnte – meine Haare waren rechts gescheitelt, mein Hemdkragen war umgelegt, ja um zu den Festtagen besonders ordentlich auszusehen, hatte ich mir sogar vorhin noch von meiner Schwester, die auf Grund ihrer Ausbildung in der Stadt mit einer Schere gut umzugehen wußte, die Haare schneiden lassen, freilich nur hinten am Nacken und über den Ohren –, an.

(1967)

Das Umfallen der Kegel
von einer bäuerlichen Kegelbahn

Zwei Österreicher, ein Student und sein jüngerer Bruder, ein Zimmermann, die sich gerade für kurze Zeit in Westberlin aufhielten, stiegen an einem ziemlich kalten Wintertag – es war Mitte Dezember – nach dem Mittagessen in die S-Bahn Richtung Friedrichstraße am Bahnhof Zoologischer Garten, um in Ostberlin Verwandte zu besuchen.

In Ostberlin angekommen, erkundigten sich die beiden bei Soldaten der Volksarmee, die am Ausgang des Bahnhofs vorbeigingen, nach einer Möglichkeit, Blumen zu kaufen. Einer der Soldaten gab Auskunft, wobei er, statt sich umzudrehen und mit den Händen den Weg zu zeigen, vielmehr den Neuankömmlingen ins Gesicht schaute. Trotzdem fanden die beiden, nachdem sie die Straße überquert hatten, bald das Geschäft; es wäre eigentlich schon vom Ausgang des Bahnhofs zu sehen gewesen, sodaß sich das Befragen der Soldaten im nachhinein als unnötig erwies. Vor die Wahl zwischen Topf- und Schnittpflanzen gestellt, entschieden sich die beiden nach längerer Unschlüssigkeit – die Verkäuferin bediente unterdessen andre Kunden – für Schnittpflanzen, obwohl gerade an Topfpflanzen in dem Geschäft kein Mangel herrschte, während es an Schnittpflanzen nur zwei Arten von Blumen gab, weiße und gelbe Chrysanthemen. Der Student, als der wortgewandtere der beiden, bat die Verkäuferin, ihm je zehn weiße und gelbe Chrysanthemen, die noch nicht zu sehr aufgeblüht seien, auszusuchen und einzuwickeln. Mit dem ziemlich großen Blumenstrauß, den der Zimmermann trug, gingen die beiden Besucher, nachdem sie die Straße, vorsichtiger als beim ersten Mal, überquert hatten, durch eine Unterführung zur anderen Seite des Bahnhofs, wo sich ein Taxistand befand. Obwohl schon einige Leute warteten und das Telefon in der Rufsäule ununterbrochen schrillte, ohne daß einer der Taxifahrer es abnahm, dauerte es nicht lange, bis die beiden, die als einzige nicht mit Koffern und Taschen bepackt waren, einsteigen konnten. Neben seinem Bruder hinten im Auto, in dem es recht warm war, nannte der Student dem Fahrer eine Adresse in einem nördlichen Stadtteil von Ostberlin. Der Taxifahrer schaltete das Radio ab. Erst als sie schon einige Zeit fuhren, fiel dem Studenten auf, daß in dem Taxi gar kein Radio war.

Er schaute zur Seite und sah, daß sein Bruder das Blumenbukett unverhältnismäßig sorgfältig in beiden Armen hielt. Sie redeten wenig. Der Taxifahrer fragte nicht, woher die beiden kämen. Der Student bereute, in einem so leichten, ungefütterten Mantel die Reise angetreten zu haben, zumal auch noch unten ein Knopf abgerissen war.

Als das Taxi hielt, war es draußen heller geworden. Der Student hatte sich schon so an den Aufenthalt im Taxi gewöhnt, daß es ihm Mühe machte, die Gegenstände draußen wahrzunehmen. Er bemerkte voll Anstrengung, daß sich zur einen Seite der Straße nur Schrebergärten mit niedrigen Hütten befanden, während die Häuser auf der anderen Seite, für die Augen des Studenten, mühsam weit von der Straße entfernt standen oder aber, wenn sie näher an der Straße waren, gleichfalls anstrengend niedrig waren; zudem waren die Sträucher und kleinen Bäume mit Rauhreif bedeckt, ein Grund mehr dafür, daß es draußen plötzlich heller geworden war. Der Taxifahrer stellte den Fahrgästen auf deren Verlangen eine Quittung aus; da es ziemlich lange dauerte, bis er das Quittungsbuch gefunden hatte, konnten die Brüder die Fenster des Hauses mustern, das sie vorhatten aufzusuchen. In der Straße, in der sonst gerade kein Auto fuhr, mußte das Taxi, besonders als es anhielt, wohl aufgefallen sein; sollte die Tante der beiden das Telegramm, das sie gestern in Westberlin telefonisch durchgegeben hatten, noch nicht bekommen haben? Die Fenster blieben leer; keine Haustür ging auf.

Während er die Quittung zusammenfaltete, stieg der Student vor seinem Bruder, der, die Blumen in beiden Armen, sich ungeschickt erhob, aus dem Taxi. Sie blieben draußen, am Zaun eines Schrebergartens, stehen, bis das Taxi gewendet hatte. Der Student ertappte sich selber dabei, wie er sich die Haare mit einem Finger ein wenig aus der Stirn strich. Sie gingen über den Vorhof zum Eingang hin, über dem die Nummer angebracht war, an die der Student früher, als er der Frau noch schrieb, die Briefe adressiert hatte. Sie waren unschlüssig, wer auf die Klingel drücken sollte; schließlich, noch während sie leise redeten, hatte schon einer von ihnen auf den Knopf gedrückt. Ein Summen im Haus war nicht zu hören. Sie stiegen beide rückwärts von den Eingangsstufen herunter und wichen ein wenig vom Eingang zurück; der Zimmermann entfernte eine Stecknadel aus dem Blumenbukett, ließ aber den Strauß eingewickelt. Der Student erinnerte sich, daß ihm die Frau, als er noch Briefmarken sammelte, in jedem Brief viele neue Sondermarken der DDR mitschickte. Plötzlich, noch bevor die beiden das zugehörige Summen hörten, sprang die Haustür klickend auf; erst als sie schon einen Spalt breit offenstand, hörten die beiden ein Summen, das noch anhielt, nachdem sie schon lange eingetreten waren. Einmal im Stiegenhaus, grinsten beide. Der Zimmermann zog das Papier von dem Strauß und stopfte es in die Manteltasche. Über ihnen ging eine Tür auf, zumindest mußte es so sein; denn als die beiden so weit gestiegen waren, daß sie hinaufschauen konnten, stand oben schon die Tante in der offenen Tür und schaute zu ihnen hinunter. An dem Verhalten der Frau, als sie der beiden ansichtig wurde, erkannten sie, daß das Telegramm wohl noch immer nicht angekommen war. Die Tante, nachdem sie den Namen des Studenten – Gregor – gerufen hatte, war sogleich zurück in die Wohnung gelaufen, kam aber ebenso schnell wieder daraus hervor und umarmte die Besucher, noch bevor diese den Treppenabsatz erreicht hatten. Ihr Verhalten war derart, daß Gregor alle Vorbehalte vergaß und ihr nur zuschaute; vor lauter Schrecken oder warum auch immer war ihr Hals ganz kurz geworden.

Sie ging zurück in die Wohnung, öffnete Türen, sogar die Tür eines Nachtkästchens, schloß ein Fenster, kam dann aus der Küche hervor und sagte, sie wollte sofort Kaffee machen. Erst als alle im Wohnzimmer waren, fiel ihr der zweite Besucher auf, der ihr schon im Flur die Blumen überreicht hatte und nun ein wenig sinnlos im Zimmer stand. Die Erklärung des Studenten, es handle sich um den zweiten Neffen, den sie, die Tante, doch bei ihrem Urlaub in Österreich vor einigen Jahren gesehen habe, beantwortete die Frau damit, daß sie stumm in ein andres Zimmer ging und die beiden in dem recht kleinen, angeräumten Wohnraum einige Zeit stehen ließ.

Als sie zurückkehrte, war es draußen schon ein wenig dunkler geworden. Die Tante umarmte die beiden und erklärte, sie hätte sich schon draußen auf der Treppe, bei der ersten Begrüßung, gewundert, daß Hans – so hieß der Zimmermann – sie auf den Mund geküßt hatte. Sie hieß die beiden, sich zu setzen, und stellte rund um den Kaffeetisch Sessel zurecht, während sie sich dabei schon nach einer Vase für die Blumen umschaute. Zum Glück, sagte sie, habe sie gerade heute Kuchen eingekauft. (Sie sagt »eingekauft« statt »gekauft«, wunderte sich der Student.) Diese teuren Blumen! Sie habe sich gerade zum Mittagsschlaf hingelegt, als es geläutet habe. »Dort drüben« – der Student schaute aus dem Fenster, während sie redete – »steht ein Altersheim.« Die beiden würden doch wohl bei ihr übernachten? Hans erwiderte, sie hätten gerade in Westberlin zu Mittag gegessen, und beteuerte, nachdem er aufgezählt hatte, was sie gegessen hatten, sie seien jetzt, wirklich, satt. Während er das sagte, legte er die Hand auf den Tisch, so daß die Frau den kleinen Finger erblickte, von dem die Motorsäge, als Hans einmal nicht bei der Sache war, ein Glied abgetrennt hatte. Sie ließ ihn nicht zu Ende sprechen, sondern ermahnte ihn, da er sich doch schon einmal ins Knie gehackt habe, beim Arbeiten aufmerksamer zu sein. Dem Studenten, dem schon im Flur der Mantel abgenommen worden war, wurde es noch kälter, als er, indem er sich umschaute, hinter sich das Bett sah, auf dem die Frau gerade noch geschlafen hatte. Sie bemerkte, daß er die Schultern in der üblichen Weise zusammenzog, und stellte, während sie erklärte, sie selber lege sich einfach nieder, wenn ihr kalt sei, einen elektrischen Heizkörper hinter ihm auf das Bett.

Der Wasserkessel in der Küche hatte schon vor einiger Zeit zu pfeifen angefangen, ohne daß das Pfeifen unterdessen stärker geworden war; oder hatten die beiden den Anfang des Pfeifens nur überhört? Jedenfalls blieben die Armlehnen der Sessel, selbst der Stoff, mit dem die Sessel überzogen waren, kalt. Warum »jedenfalls«? fragte sich der Student, die gefüllte Kaffeetasse in beiden Händen, einige Zeit darauf. Die Frau deutete seinen Gesichtsausdruck, indem sie ihm mit einer schnellen Bewegung Milch in den Kaffee goß; den folgenden Satz des Studenten, der feststellte, sie habe ja einen Fernsehapparat im Zimmer, legte sie freilich so aus, daß sie, die Milchkanne noch in der Hand, den einen Schritt zu dem Apparat hintat und diesen einschaltete. Als der Student darauf den Kopf senkte, erblickte er auf der Oberfläche des Kaffees große Fetzen der Milchhaut, die sofort nach oben getrieben sein mußten. Er verfolgte den gleichen Vorgang bei seinem Bruder: ja, so mußte es gewesen sein. Ab jetzt hütete er sich, im Gespräch etwas, was er sah oder hörte, auch noch festzustellen, aus Furcht, seine Feststellungen könnten von der Frau *ausgelegt* werden. Der Fernsehapparat hatte zwar zu rauschen angefangen, aber noch ehe Bild und Ton ganz deutlich wurden, hatte die Frau ihn wieder abgeschaltet und sich, indem sie immer wieder von dem einen zum andern schaute, zu den beiden gesetzt. Es konnte losgehen! Halb belustigt, halb verwirrt, ertappte sich der Student bei diesem Satz. Statt ein Stück von dem Kuchen abzubeißen und darauf, das Stück Kuchen noch im Mund, einen Schluck von dem Kaffee zu nehmen, nahm er zuerst einen Mund voll von dem Kaffee, den er freilich, statt ihn gleich zu schlucken, vorn zwischen den Zähnen behielt, so daß die Flüssigkeit, als er den Mund aufmachte, um in den Kuchen zu beißen, zurück in die Tasse lief. Der Student hatte die Augen leicht geschlossen gehabt, vielleicht hatte das zu der Verwechslung geführt; aber als er jetzt die Augen aufmachte, sah er, daß die Tante Hans anschaute, der soeben mit einer schwerfälligen Geste, mit der ganzen Hand, das Schokoladeplätzchen ergriff und es, förmlich unter den Blicken der Frau, schnell in den Mund hinein steckte. »Das kann einfach nicht wahr sein!« rief der Student, vielmehr, die Frau war es, die das sagte, während sie auf das Buch zeigte, das auf ihrem Nachtkästchen lag, die Lebensbeschreibung eines berühmten Chirurgen, wie sich der Student sofort verbesserte; als Lesezeichen diente ein Heiligenbildchen. Es war kein Grund zur Beunruhigung.

Je länger sie redeten, sie hatten schon vor einiger Zeit ein Gespräch angefangen, so als ob sie gar nicht an einem Tisch oder wo auch immer säßen – desto mehr wurde den beiden, die jetzt kaum mehr, wie kurz nach dem Eintritt, Blicke wechselten, die Umgebung selbstverständlich. Das Wort »selbstverständlich« kam auch immer häufiger in ihren Gesprächen vor. Lange Zeit waren dem Studenten die Reden der Tante unglaubwürdig gewesen; jetzt aber, mit der Zunahme der Wärme im Zimmer, konnte er sich das, was die Frau sprach, geschrieben vorstellen, und so, geschrieben, erschien es ihm glaubhaft. Trotzdem war es im Zimmer so kalt, daß der Kaffee, der unterdessen eher schon lau war, dampfte. Die Widersprüche, ging es dem Studenten durch den Kopf, häuften sich. Draußen fuhren keine Autos vorbei. Dementsprechend fingen auch die meisten Sätze der Tante mit dem Wort »Draußen« an. Das dauerte solange, bis der Student sie unterbrach, auf das Stocken der Frau sich jedoch entschuldigte, daß er sie unterbrochen hätte, ohne selber etwas sagen zu wollen. Jetzt wollte niemand wieder als erster zu reden anfangen; das Ergebnis war eine Pause, die der Zimmermann plötzlich beendete, indem er von seinem kurz bevorstehenden Einrücken zum österreichischen Bundesheer erzählte; die Tante, weil Hans in einem ihr fremden Dialekt redete, verstand »Stukas von Ungarn her«

und schrie auf; der Student beruhigte sie, indem er einige Male das Wort »Draußen« gebrauchte. Es fiel ihm auf, daß die Frau von jetzt an jedesmal, wenn er einen Satz sprach, diesen Satz sofort nachsprach, als traue sie ihren Ohren nicht mehr; damit nicht genug, nickte sie schon bei den Einleitungswörtern zu bestimmten Sätzen des Studenten, so daß dieser allmählich wieder unsicher wurde und einmal mitten im Satz aufhörte. Das Ergebnis war ein freundliches Lachen der Tante und darauf ein »Danke«, so als hätte er ihr mit einem Wort beim Lösen des Kreuzworträtsels geholfen. In der Tat erblickte der Student kurz darauf auf dem Fensterbrett eine Seite der Ostberliner Zeitung »BZ am Abend« mit einem kaum ausgefüllten Kreuzworträtsel. Neugierig bat er die Frau, das Rätsel ansehen zu dürfen – er gebrauchte den Ausdruck »überfliegen« –, doch als er merkte, daß die Fragen kaum anders waren als üblich, nur daß einmal nach der Bezeichnung eines »aggressiven Staates im Nahen Osten« gefragt wurde, reichte er die Zeitung seinem Bruder, der sich, obwohl er schon am Vormittag das Rätsel in der westdeutschen Illustrierten »Stern« gelöst hatte, sofort ans Lösen auch dieses Kreuzworträtsels machen wollte. Aber nicht das Suchen von Hans nach einem Bleistift war es, was den Studenten verwirrte, sondern das jetzt unerträglich leere Brett vor dem Fenster; und er bat den Bruder gereizt, die Zeitung zurück »auf ihren Platz« zu legen; die Formulierung »auf ihren Platz« kam ihm jedoch, noch bevor er sie aussprach, so lächerlich vor, daß er gar nichts sagte, sondern aufstand und mit der Bemerkung, er wolle sich etwas umschauen, zur Tür hinausging. Eigentlich war aber, so verbesserte er sich, die Tante hinausgegangen, und er folgte ihr, angeblich, um einen Blick in die anderen Räume zu tun. In Wirklichkeit aber ... Dem Studenten fiel auf, daß vielmehr, als vorhin der Fernsehapparat gelaufen war, der Sprecher des Deutschen Fernsehfunks das Wort »Angeblich« gebraucht hatte; in Wirklichkeit aber war das Wort gar nicht gefallen.

Überall das gleiche Bild. »Überall das gleiche Bild«, sagte die Frau, indem sie ihm die Tür zur Küche aufmachte, »auch hier drin ist es kalt«, erwiderte der Student, »auch dort drin«, verbesserte ihn die Frau. »Was macht ihr denn hier draußen?« fragte Hans, der ihnen, die Zeitung mit dem Kreuzworträtsel in der Hand, in den Flur gefolgt war. »Gehen wir wieder hinein!« sagte der Student. »Warum?« fragte Hans. »Weil ich es sage«, erwiderte der Student. Niemand hatte etwas gesagt.

In das Wohnzimmer, in das sich alle wieder begeben hatten, weil dort, wie die Frau wiederholte, noch etwas Kaffee auf sie wartete, klang das Klappern von Töpfen aus der Küche herein wie das ferne Umfallen der Kegel von einer bäuerlichen Kegelbahn in einem tiefen und etwas unheimlichen Wald. Der Student, dem dieser Vergleich auffiel, fragte die Tante, wie sie, die doch ihren Lebtag lang in der Stadt gelebt habe, auf einen solchen Vergleich gekommen sei; zur gleichen Zeit, als er das sagte, erinnerte er sich desselben Ausdrucks in einem Brief des Dichters Hugo von Hofmannsthal, ohne daß freilich das Verglichene dort, eine Einladung, sich an einer Dichterakademie zu beteiligen, dem Verglichenen hier, dem Klappern der Töpfe aus der Küche herein in das Wohnzimmer, auch nur vergleichsweise ähnlich war.

Da der Student horchend den Kopf zur Seite geneigt hatte, konnte es nicht ausbleiben, daß die Tante, die jedes Verhalten der beiden Besucher auszulegen versuchte, mit der Bemerkung, sie wolle doch den Vögeln auf dem Balkon etwas Kuchen streuen, mit einer schnell gehäuften Hand voll Krumen ins andre Zimmer ging, um von dort, wie sie, schon im anderen Zimmer, entschuldigend rief, auf den Balkon zu gelangen. Also war, so fiel dem Studenten jetzt auf, auch das Klappern der Töpfe in der Küche nur ein Vergleich für die Vögel gewesen, die, indem sie auf dem leeren Backblech umherhüpften, das die Frau vorsorglich auf den Balkon gestellt hatte, dort vergeblich mit ihren Schnäbeln nach Futter pickten. Einigermaßen befremdet beobachteten die beiden die Tante, die sich wie selbstverständlich draußen auf dem Balkon bewegte; befremdet deswegen, weil sie sich nicht erinnern konnten, die Frau jemals draußen gesehen zu haben, während sie selber, die Zuschauer, drinnen saßen; ein seltsames Schauspiel. Der Student schrak auf, als ihn Hans, ungeduldig geworden, zum wiederholten Mal nach einem anderen Wort für »Hausvorsprung« fragte; »Balkon« antwortete die Tante, die gerade in einem ihrer Fotoalben nach einem bestimmten Foto suchte, für den Studenten; »Erker«, fuhr der Student, indem er die Frau nicht aussprechen ließ, gerade noch zur rechten Zeit dazwischen. Er atmete so lange aus, bis er sich erleichtert fühlte. Das war ja noch einmal gut gegangen! Eine Papierserviette hatte den übergelaufenen Kaffee sofort aufgesaugt.

Wenn sie es auch nicht ausgesprochen hatten, so hatten sie doch alle drei die ganze Zeit nur an den Telegrammboten gedacht, der noch immer auf sich warten ließ. Jetzt stellte sich aber heraus, daß die Tante, obwohl es doch schon später Nachmittag war, noch gar nicht in ihren Briefkasten geschaut hatte. Hans wurde mit einem Schlüssel nach unten geschickt. Wie seltsam er den

Schlüssel in der Hand hält! dachte der Student. Wie bitte? fragte die Tante verwirrt. Aber Hans kehrte schon, den Schlüssel geradeso in der Hand, wie er mit ihm weggegangen war, ins Wohnzimmer zurück. »Ein Arbeiter in einem Wohnzimmer!« rief der Student, der einen Witz machen wollte. Niemand widersprach ihm. Ein schlechtes Zeichen! dachte der Student. Wie um ihn zu verhöhnen, rieb sich die Katze, die er bis jetzt vergessen hatte wahrzunehmen, an seinen Beinen. Die Tante suchte gerade nach einem Namen, der ihr entfallen war; es handelte sich um den Namen einer alten Dame, die . . . – die alte Dame mußte jedenfalls ein Adelsprädikat in ihrem Namen haben; in Österreich waren zum Glück die Adelsprädikate abgeschafft.

Inzwischen war es draußen dunkel geworden. Der Student hatte am Vormittag in der »Frankfurter Allgemeinen Zeitung« ein japanisches Gedicht über die Dämmerung gelesen: »Der schrille Pfiff eines Zuges machte die Dämmerung ringsum nur noch tiefer.« Der schrille Pfiff eines Zuges machte die Dämmerung ringsum nur noch tiefer. In diesem Stadtteil freilich fuhr kein Zug. Die Tante probierte verschiedene Namen aus, während Hans und Gregor nicht von ihr wegschauten. Schließlich hatte sie das Telefon vor sich hin auf den Tisch gestellt und die Hand darauf gelegt, wobei sie freilich, ohne den Hörer abzunehmen, noch immer mit gerunzelter Stirn, auf der Suche nach dem Namen der alten Dame, das Alphabet durchbuchstabierte. Auch als sie schon in die Muschel sprach, fiel dem Studenten nur auf, daß sie ihm dabei, mit dem Kopf darauf deutend, ein Foto hinhielt, das ihn, den Studenten, als Kind zeigte, mit einem Gummiball, »neben den Eltern im Fotoatelier sitzend«.

»Laufend, haltend, SAUGEND . . .« – wie immer,

wenn er Fotos oder BILDER sah, fielen dem Studenten nur Zeitwörter in dieser Form ein; so auch: »neben den Eltern im Fotoatelier SITZEND«.

Die Tante, die an die Person, zu der sie ins Telefon sprach, die Anrede »Sie« gerichtet hatte – das wirkte auf alle sehr beruhigend –, hatte plötzlich, nachdem sie eine Weile, den Hörer am Ohr, geschwiegen hatte, das Wort »Du« in den Hörer gesprochen. Der Student war darauf so erschrocken, daß ihm auf der Stelle der Schweiß unter den Achseln ausgebrochen war; während er sich kratzte – der Schweiß juckte heftig – überzeugte er sich, daß es seinem Bruder ähnlich ergangen war: auch dieser kratzte sich gerade wild unter den Armen.

Es war aber nicht mehr geschehen, als daß auf den Anruf hin der Bruder der Frau und dessen Frau von einem anderen Stadtteil Ostberlins aufgebrochen waren und auch bald schon, ohne erst unten an der Haustür zu läuten, wie Bekannte an die Tür geklopft hatten, um die beiden Neffen aus Österreich noch einmal zu sehen. Die Frau hatte aus dem Balkonzimmer zwei Sessel für die Neuankömmlinge hereingetragen und darauf in der Küche Tee für alle aufgestellt. Die Töpfe hatten geklappert, der Onkel, der an Asthma litt, hatte sich heftig auf die Brust geschlagen, seine Frau hatte, indem sie bald das Gespräch auf die Studenten in Westberlin brachte, gemeint, sie würde alle einzeln an den Haaren aufhängen wollen. Von der Toilette zurückgekehrt, wo er sich die Hände gewaschen hatte, waren dem Studenten diese inzwischen so trocken geworden, daß er die Tante um eine Creme hatte bitten müssen. Die Frau hatte das aber wieder so ausgelegt, daß sie den Studenten und seinen Bruder dazu noch mit Parfum »Tosca« besprühte, das jene alte Dame, deren Name ihr nicht eingefallen war, bei ihrem letzten Besuch mitgebracht hatte. Schließlich war es Zeit zum Aufbruch geworden, weil die Aufenthaltserlaubnis der beiden für Ostberlin um Mitternacht ablaufen sollte. Der Onkel hatte einen Taxistand angerufen, ohne daß freilich jemand sich gemeldet hatte. Trotzdem hatte den Studenten die Vorvergangenheit, in der all das abgelaufen war, allmählich wieder beruhigt. Den Onkel, der noch immer den Hörer am Ohr hielt und es läuten ließ, und dessen Frau im Wohnzimmer zurücklassend, hatten sich die beiden Besucher, schon in den Mänteln, mit der Tante hinaus in den Flur begeben; die Hände an der Wohnungstür, hatten sie noch einmal gewartet, ob sich, wenn auch an anderen Taxiplätzen, doch noch ein Taxi melden würde. Sie waren schon, die Tante in der Mitte, die Stiege hinuntergegangen, als

Kein »Als«.

Mit der Tante, die sich in die beiden eingehängt hatte, waren sie, mit den Zähnen schnackend vor Kälte, zur Straßenbahnhaltestelle gegangen. Die Frau hatte ihnen, da sie kein Kleingeld hatten, die Münzen für die Straßenbahn zugesteckt. Als die Straßenbahn gekommen war, waren sie, indem sie der Frau draußen noch einmal zuwinkten, schnell eingestiegen, um noch rechtzeitig den Bahnhof Friedrichstraße zu erreichen.

Zu spät bemerkte der Student, daß sie gar nicht eingestiegen waren.

(1969)